ちくま新書

コミュニティを問いなおす——つながり・都市・日本社会の未来

広井良典
Hiroi Yoshinori

800

コミュニティを問いなおす——つながり・都市・日本社会の未来【目次】

プロローグ　コミュニティへの問い

†現在の日本社会とコミュニティ

これからの日本社会や、そこでの様々な課題を考えていくにあたり、おそらくその中心に位置していると思われるのが「コミュニティ」というテーマである。

戦後の日本社会とは、一言でいえば「農村から都市への人口大移動」の歴史であったが、本書の中で論じていくように、都市に移った日本人は、（独立した個人と個人のつながりという意味での）都市的な関係性を築いていくかわりに、「カイシャ」そして「（核）家族」という、いわば〝都市の中のムラ社会〟ともいうべき、閉鎖性の強いコミュニティを作っていった。

そうしたあり方は、経済全体のパイが拡大する経済成長の時代には、カイシャや家族の利益を追求することが、（パイの拡大を通じて）社会全体の利益にもつながり、また個人のパイの取り分の増大にもつながるという意味で一定の好循環を作っていた。しかし経済が成熟化し、そうした好循環の前提が崩れるとともに、カイシャや家族のあり方が大きく流動化・多様化する現在のような時代においては、それはかえって個人の孤立を招き、「生きづらい」社会や関係性を生み出す基底的な背景になっている。

また、たとえば自殺者が年間三万人を超えることが一九九八年以降昨年（二〇〇八年）まで一一年にわたって続くに至っているが、こうしたことの根本的な背景にも、狭い意味の経済的要因だけでなく、人と人との「関係性」のあり方、そしてコミュニティのあり方ということが何らかの形で働いていると思えるのである。

それでは、あらためて「コミュニティ」とはそもそも何であり、今後の日本社会におけるコミュニティやその再生のあり方に関して、どのような展望や政策対応が重要となってくるのだろうか。

本書では、こうしたコミュニティというテーマを、都市、空間、グローバリゼーション、福祉ないし社会保障、土地、環境、科学、ケア、価値原理、公共政策等々といった多様な観点や領域から掘り下げていきたい。ここではまずその出発点として、そうした探求において基本となる問題意識を簡潔に述べてみよう。

†経済成長とコミュニティ

さて、「コミュニティ」という言葉ないし概念についての理解や定義は多様であるが、ここではひとまず、

「コミュニティ＝人間が、それに対して何らかの帰属意識をもち、かつその構成メンバーの間に一定の連帯ないし相互扶助（支え合い）の意識が働いているような集団」

と理解してみたい（これは暫定的なもので本書の議論の中で順次進化していくことになる。ちなみに「コミュニティ」という用語は、社会学者G・ヒラリーがその定義例を集めたところ九四通りあったという。日端［二〇〇八］）。

ところで、「コミュニティ」という時、少なくとも次の三つの点は区別して考えることが重要と思われる。すなわちそれらは、

①「生産のコミュニティ」と「生活のコミュニティ」
②「農村型コミュニティ」と「都市型コミュニティ」
③「空間コミュニティ（地域コミュニティ）」と「時間コミュニティ（テーマコミュニティ）」

という三つの視点である。

まず①（生産のコミュニティと生活のコミュニティ）については、都市化・産業化が進む以前の農村社会においては、両者はほとんど一致していた。すなわち、稲作等を中心とする農村の地域コミュニティが、そのまま「生産のコミュニティ」でありかつ「生活のコミュニティ」でもあったのである。やがて高度成長期を中心とする急速な都市化・産業化の時代において、両者は急速に〝分離〟していくとともに、「生産のコミュニティ」としてのカイシャが圧倒的な優位を占めるようになっていった。現役のサラリーマンに〝あなたの日々の生活にとってもっとも大きな意味をもつ集団は何か〟と問えば、ほぼ確実に勤務先の会社と答えるという状況が、自明の事実となっていったのである。ところが、経済が成熟化し急速な拡大・成長の時代が終わりつつあると同時に、先述のようにカイシャや家族という存在が多様化・流動化している現在、こうした構造そのものが大きく変容する時代を迎えつつある。ここにおいて、〝地域という「生活のコミュニティ」は回復しうるか〟という問いが新たな装いのもとで浮上してくるのはごく自然な帰結といえる。

こうした点を「経済システムの進化とコミュニティ」という視点でとらえるならば、本書の中で議論していくように、私たちは市場化・産業化という、いわば地域や自然からの〝離陸〟の時代から、ポスト産業化（ひいては筆者のいう「定常型社会」）の時代という、

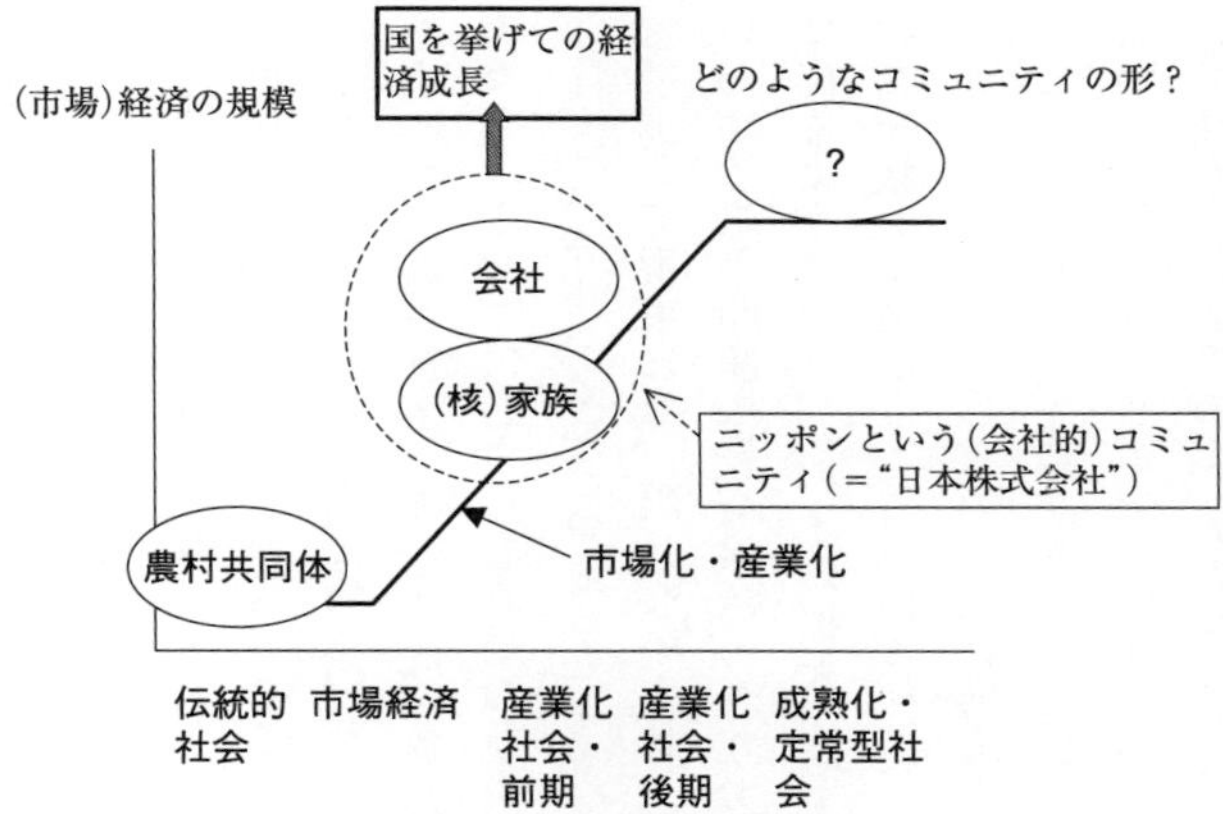

図１　経済システムの進化とコミュニティ
——地域からの"離陸"と"着陸"

〝着陸〟の時代を迎えつつあるといえようが、いまだそれがどのような形のものとなるかは大方明らかではない（図1）。

ところで、図1との関連で日本の場合についてさらに補足すれば、戦後日本の場合、冒頭でも少しふれたように、「国を挙げての経済成長」という圧倒的な目標が、日本人全体をいわば束ねる〝求心力〟として作用し、それが（〝経済ナショナリズム〟的な志向とも相まって）「ニッポンというコミュニティ（〝日本株式会社〟）」の基本的感覚として強く働いたといえるだろう（かつ戦前からの、あるいは明治以降の国家主義的遺産がそれを下支えした）。

同時にそれは、先ほどふれた「会社」と「（核）家族」という（互いに熾烈な競争関係にある）個別のコミュニティを何とか〝つなぐ〟役割をも果たした。というのも、個々の会社や（核）家族が競争しその利益を追求することが、パイ全体の拡大（＝経済成長）につながり、それがまた結果として個々の会社や家族の〝取り分〟の拡大にもつながるという好循環が存在していたからである。

しかしながら、「国を挙げての経済成長」という目標が、かつてのような絶対的な輝きをもって意識されるような時代が終わる中で――また、そもそも経済成長ということが人々の「幸福」に必ずしも直結しないということが様々な形で感覚されるようになる中で――、「ニッポンというコミュニティ」を形成する求心力はもはや希薄なものになっている。加えて現実にも、限りない成長・拡大（＝「パイの拡大」）という時代が終わる中で、いわゆる格差問題や社会保障のあり方など、むしろ「パイの〝分配〟」という課題が前面に出るようになり、「パイの拡大が個人の利益の増加にそのまま結びつく」という予定調和的な状況や前提――言い換えれば、自己を中心とする同心円を拡大していけば自ずとそれが国全体と重なるという関係構造――はもはや存在しなくなっている。

こうして、高度成長期を中心に日本人にとっての中心的なコミュニティであった「会社」、「家族」、「ニッポンという（会社的）コミュニティ」とその関係構造は、幸か不幸か、いずれもこれまでのような形では存在しなくなっている。現在の日本社会において「コミュニティ」というテーマが大きく浮上する基本的な背景のひとつはこれであり、この点は同時に、この後で述べる〝個人の社会的孤立〟という状況とつながることになる。

†農村型コミュニティと都市型コミュニティ——「つながり」のあり方

さて、「コミュニティ」という概念に関して次に重要となる視点は、先に②として示した「農村型コミュニティと都市型コミュニティ」という視点であり、これは、人と人との「関係性」のあり方を象徴的に示したものである。

端的にいえば、ここで「農村型コミュニティ」とは、〝共同体に一体化する（ないし吸収される）個人〟ともいうべき関係のあり方を指し、それぞれの個人が、ある種の情緒的（ないし非言語的な）つながりの感覚をベースに、一定の「同質性」ということを前提として、凝集度の強い形で結びつくような関係性をいう。これに対し「都市型コミュニティ」とは〝独立した個人と個人のつながり〟ともいうべき関係のあり方を指し、個人の独立性が強く、またそのつながりのあり方は共通の規範やルールに基づくもので、言語による部分の比重が大きく、個人間の一定の異質性を前提とするものである。これらの点を、関連する論点とともにやや単純化して対比したのが表1である。

こうした「農村型コミュニティ」と「都市型コミュニティ」という対比を行った場合、

表1　コミュニティの形成原理の二つのタイプ

	（A） 農村型コミュニティ	（B） 都市型コミュニティ
特質	“同心円を広げてつながる”	“独立した個人としてつながる”
内容	「共同体的な一体意識」	「個人をベースとする公共意識」
性格	情緒的（&非言語的）	規範的（&言語的）
関連事項	文化（注1）	文明
	「共同性」	「公共性」
	母性原理	父性原理
ソーシャル・キャピタル（注2）	結合型（bonding） （集団の内部における同質的な結びつき）	橋渡し型（bridging） （異なる集団間の異質な人の結びつき）

（注1）「文化 culture」は農村（ないし農耕 cultivate）と、「文明 civilization」は都市（city ないし civitas）と対応するが、ここでの趣旨は、前者は「個別の共同体に完結するもの」、後者は「複数の共同体が出会うところに生成する（普遍的な）もの」といった意味である。ちなみにcultureの語源はラテン語の動詞colere（耕す）で、その原義は「世話をする」であり（伊東［1985］参照）、「ケア」と重なる。この論点は本書の中でさらに展開したい。
（注2）「ソーシャル・キャピタル（社会関係資本）」は人と人との関係性（信頼、規範、ネットワーク等）に関する用語で、様々な議論の系譜があったが特に近年において社会科学分野で広く使われるようになったのはアメリカの政治学者パットナムの著作を通じてである（パットナム［2006］、内閣府国民生活局編［2003］）。
（注3）「コミュニティ」という言葉や概念について、この表での（A）のみを「コミュニティ」とし、（B）は含まない場合もあり、それは意味の定義の問題であるが、ここでは（農村型コミュニティ、都市型コミュニティという具合に）両者を含めて「コミュニティ」という言葉・概念を使う。

日本社会（ないし日本人）において圧倒的に強いのが前者（農村型コミュニティ）のような関係性のあり方であることは、あらためて指摘するまでもないかもしれない。冒頭でも述べたように、戦後の日本社会とは〝農村から都市への人口大移動〟の歴史といえるが、農村から都市に移った人々は、カイシャと核家族という、〝都市の中の農村（ムラ社会）〟を作っていったといえる。そこではカイシャや家族といったものが〝閉じた集団〟になり、それを超えたつながりはきわめて希薄になっていった。そしてさらに、そうしたムラ社会の「単位」が個人にまでいわば〝縮小〟し、人と人の間の孤立度が極限まで高まっているのが現在の日本社会ではないだろうか。

実際、以前にもふれた点だが（広井［二〇〇六］）、二〇〇五年に出されたOECD（経済協力開発機構）の報告書では、図2に示されているように、国際的に見て日本はもっとも「社会的孤立」度の高い国であるとされている。この場合「社会的孤立」とは、家族以外の者との交流やつながりがどのくらいあるかという点に関わるもので、日本社会は、〝自分の属するコミュニティないし集団の「ソト」の人との交流が少ない〟という点において先進諸国の中で際立っている。

現在の日本の状況は、「空気」といった言葉がよく使われることにも示されるように、集団の内部では過剰なほど周りに気を遣ったり同調的な行動が求められる一方、一歩その集団を離れると誰も助けてくれる人がいないといった、「ウチとソト」との落差が大きな社会になっている。このことが、人々のストレスと不安を高め、冒頭でふれた高い自殺率といったことも含めて、生きづらさや閉塞感の根本的な背景になっているのではないだろうか。

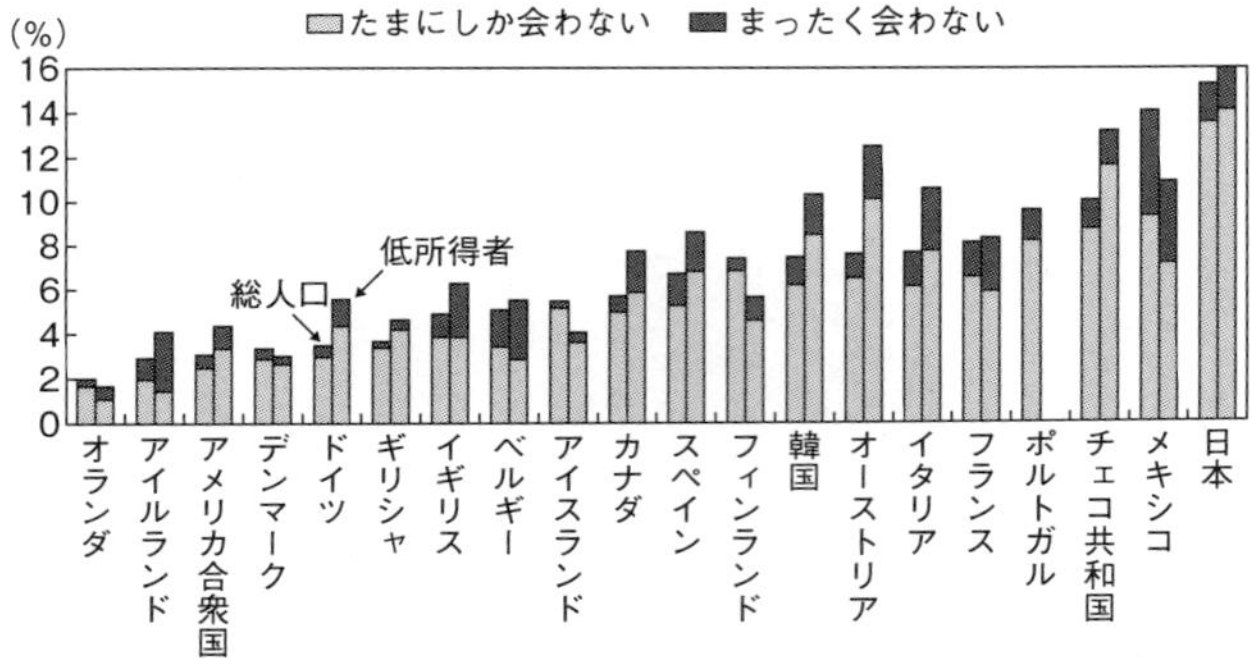

図２　先進諸国における社会的孤立の状況

（出所）OECD（2005）

（原注）この主観的な孤立の測定は、社交のために友人、同僚または家族以外の者と、まったくあるいはごくたまにしか会わないと示した回答者の割合をいう。図における国の並びは社会的孤立の割合の昇順である。低所得者とは、回答者により報告された、所得分布下位３分の１に属するものである。

（出典）World Values Survey.2001.

したがって、日本社会における根本的な課題は、「個人と個人がつながる」ような、「都市型のコミュニティ」ないし関係性というものをいかに作っていけるか、という点に集約される。これについては、ひとつには「規範」のあり方（集団を超えた普遍的な規範原理の必要性）という点が大きな課題となり、またもっと日常的なレベルでのちょっとした行動パターン（挨拶、お礼の言葉、見知らぬ者どうしのコミュニケーション等）ということが同時に重要となると考えられ、またアジアなど外国人との関わりの増加も契機のひとつになりうるかと思われる。これらについては次章をはじめ本書の中でさらに考えていきたい。

†人口構造という要因と地域コミュニティ

ところで、これからの時代のコミュニティというものを考えていく上で無視できない要因として、少子・高齢化という人口構造の大きな変化がある。この場合重要な視点は、人間の「ライフサイクル」というものを全体として眺めた場合、「子どもの時期」と「高齢期」という二つの時期は、いずれも地域への〝土着性〟が強いという特徴をもっているという点だ（これに対し現役世代の場合は、概して〝職域〟への帰属意識が大きくなる）。

　この点を踏まえた上で図3を見てみよう。これは、人口全体に占める「子どもプラス高齢者」の割合の変

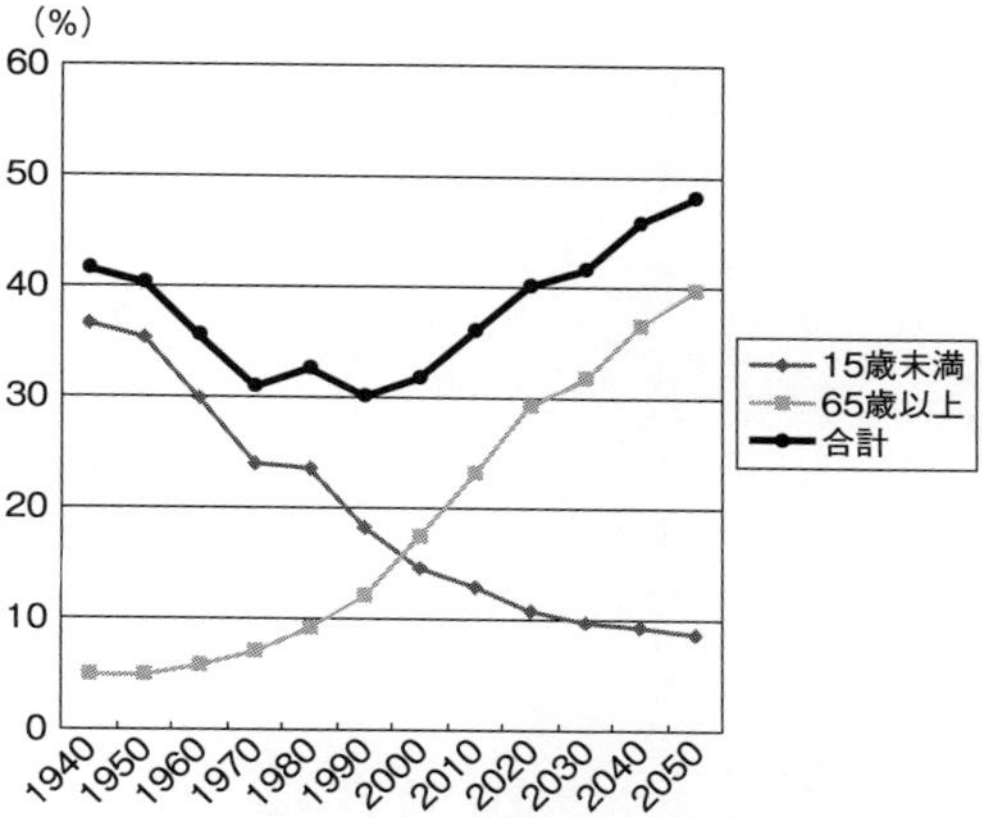

図3　人口全体に占める「子ども・高齢者」の割合の推移（1940～2050年）

（注）子どもは15歳未満、高齢者は65歳以上。

（出所）2000年までは国勢調査。2010年以降は「日本の将来推計人口」（平成18年12月推計）。

化を示したものであるが、現在をはさんで一九四〇年から二〇五〇年という一〇〇年強の長期トレンドで見た場合、それがほぼきれいな「U字カーブ」を描いていることが顕著である。すなわち、人口全体に占める「子どもと高齢者」の割合は、戦後の高度成長期を中心に一貫して低下を続け、それが世紀の変わり目である二〇〇〇年前後に「谷」を迎えるとともに増加に転じ、今後二〇五〇年に向けて今度は一貫して上昇を続ける、という大きなパターンがそこに見て取れる(もちろん、前半期においては『三丁目の夕日』の世界のように子どもが多くを占め、後半期においては高齢者が多くを占めるという点でその中身は対照的なのであるが)。

そして、先ほど「子どもと高齢者は地域への〝土着性〟が強い」ということを確認したのだが、この点とあわせて考えると、戦後から高度成長期をへて最近までの時代とは、一貫して〝「地域」との関わりが薄い人々〟が増え続けた時代であり、それが現在は、逆に〝「地域」との関わりが強い人々〟が一貫した増加期に入る、その入り口の時期であるととらえることができる。

こうした意味において、先にコミュニティをめぐる第三の視点として挙げた「空間コミュニティと時間コミュニティ」とも関連するが、「地域」というコミュニティがこれからの時代に重要なものとして浮かび上がってくるのは、ある種の必然的な構造変化であるとすらいうことができるだろう。加えて、現役世代についても、これからのポスト産業化時代には（職住近接、SOHOなどのトレンドの中で）地域との関わりが相対的に増加していくことになる。

さらにいえば、日本において現役世代の「地域」への関わりが薄いのは、後に見ていく都市計画や土地所有等の問題を背景に、大都市の中心部に計画的に整備された集合住宅が少なく、そのため住宅が都市の外縁にスプロール状に無際限に広がり、結果として極端に通勤距離・時間が長く、職場と居住地が完全に乖離しているという背景があった（日本の土地百年研究会編著［二〇〇三］参照）。こうした点が、戦後日本における地域コミュニティというもののあり方に独特の相貌を与えてきたと思われる。

他方、第2章や第5章で論じる予定だが、現在の日本社会において、様々なNPOや協同組合、〝社会起業家〟等々の多様な活動・事業や実践に見られるように、「新しいコミュニティ」づくりに向けた多くの試みが百花繚乱のように生成していることは言うまでもない。こうした「ミッション（使命）」志向型の（あるいは「テーマ型」ないし「時間コミュニティ」とも呼ばれる）コミュニティは、伝統的な地域コミュニティとどのような形でクロスし、また今後の展望が開かれていくのだろうか。コミュニティをめぐるこうした〝空間（地域）と時間〟の交差のありようも、本書の中で様々な角度から考えていきたい。

†人間にとってコミュニティとは何か

以上、「コミュニティ」というテーマを考える際に重要となるいくつかの視点について述べたが、それでは、そもそも「コミュニティ」とは一体何であろうか。あるいは、人間という生き物にとって「コミュニティ」とはいかなる意味をもつ存在なのだろうか。

この点は本書全体を通じて追求していきたいと思うが、こうしたテーマを考えていくにあたって、重要な視座を与えてくれる分野として社会生態学と呼ばれる分野がある。特にサルなど霊長類の行動や社会構造を探求することで、進化の過程における個体と集団の関係等を明らかにする領域であるが、ここでは特に河合雅雄が展開している議論に注目してみよう（河合［一九九〇］）。

河合はまず一方で、①「家族という社会的単位の創出」こそが、サルからヒトへの進化の決定的な要素であるという興味深い議論を次のように展開する。

「サル社会には、父親は存在しない。父親というのは、家族という社会的単位ができる、つまり、ヒトが誕生したと同時に生成した社会的存在である。」

「父親は家族の成立に伴って創り出されたものであり、極言すれば発明されたものな

のだ。一方、母親は生物学的存在であるとともに社会的存在だ、という二面性を持っている。」（河合［一九九〇］）

すなわち、母親が子どもの世話をする、という関係はすでに哺乳類一般において成立しているが、それにとどまらず、父親（ないしオス）が子育てに関わるという点、ないしその意味での「家族」という単位の成立が、人間という存在の成立にとって本質的であったという議論である。

他方で河合は、②人間という生き物の特徴は「重層社会」をつくることにある、という議論を行っている。ここで「重層社会」とは、人が家族組織の上に村をつくるように、重層の構造をもった社会をいう。つまり、個人ないし個体がダイレクトに集団全体（あるいは社会）につながるのではなく、その間にもう一つ中間的な集団が存在するという構造は、ヒトにおいて初めて成立するという興味深い事実である（サルの場合は例外的な場合を除き前者にとどまる）。

以上、河合が行っている議論（①家族という社会的単位の創出、②重層社会という点が人間という存在にとって本質的である）について確認したが、考えてみれば、ここでの①と②は、同じ構造を二つの側面から見ているものではないだろうか。

すなわち、先ほど確認したように、人間の社会は最初から個体ないし個人が「社会（集団全体）」に結びつくのではなく、その間に中間的な集団をもつ。したがって、個体の側から見れば、それはその中間的な集団「内部」の関係と、「外部」の社会との関係という、二つの基本的な関係性をもつ。前者（＝内部関係）の原型が〈母親〉との関係であり（これはほ乳類に共通する）、後者（＝外部関係）の原型、正確には個体を社会全体に「つなぐ」存在の原型が〈父親〉である（〈母親〉〈父親〉という表現をしたのは、いわばこれは原型的ないし象徴的な意味であり、現実の社会においては、様々な存在がその役割を担うことがありうるとの趣旨からである）。

そして、「コミュニティ」との関係でいえば、ここでいうところの「重層社会における中間的な集団」こそがすなわち「コミュニティ」というものの本質的な意味になるのではないだろうか。したがって、コミュニティはその原初から、その「内部」的な関係性と、「外部」との関係性の両者をもっていることになる。このいわば〝関係の二重性（ないし二層性）〟にこそコミュニティの本質があるといえるだろう（以上をまとめたのが図4である。なお、ここで述べている「内部」的関係性と「外部」的関係性とは、実は表1で示した「コミュニティの二つの原理」の(A)(B)とそれぞれ実質的に重なっている）。

このことを別の表現でいうならば、「コミュニティ」という存在は、その成立の起源か

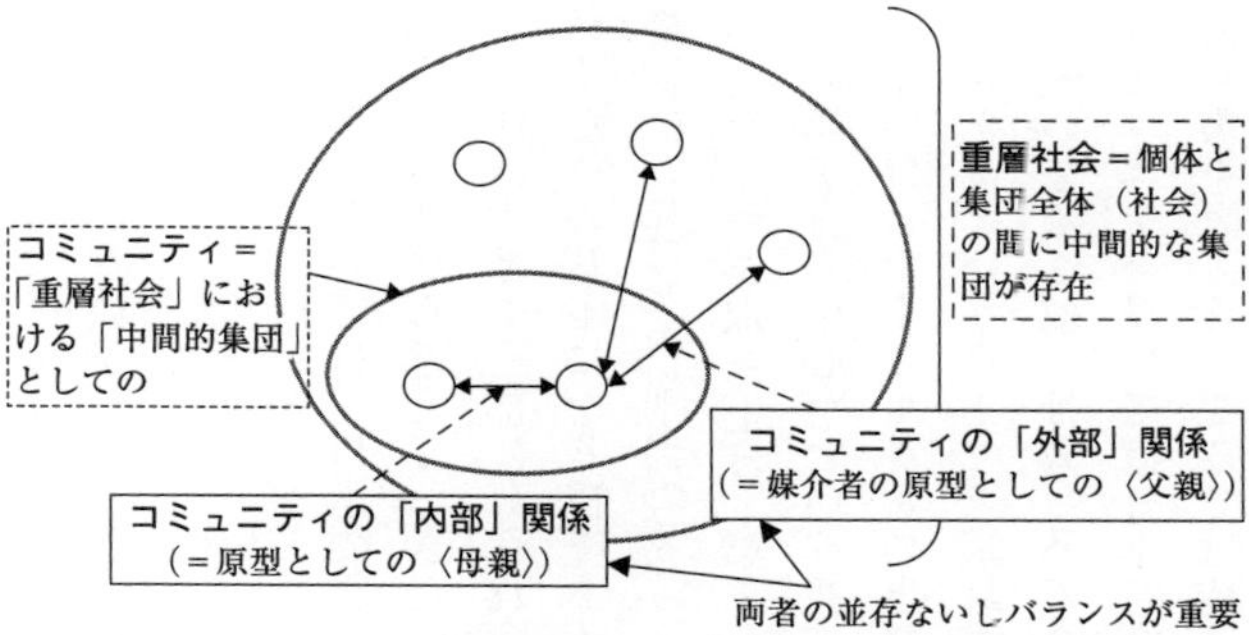

図4　コミュニティをめぐる構造——コミュニティは常にその「外部」を持つ

ら本来的に〝外部〟に対して「開いた」性格のものである、といえるのではないか。言い換えると、コミュニティづくりということ自体の中に（ある意味で逆説的にも）「外部とつながる」という要素が含まれているのではないか。またそうした「外部とつながる」というベクトルの存在が、一見それ自体としては〝静的で閉じた秩序〟のように見える「コミュニティ」の存在を、相互補完的なかたちで支えているのではないだろうか。

かつてジェーン・ジェイコブズ（アメリカの都市論者）が、コミュニティは定住者と一時的な居住者とを融合させることで社会的に安定する、そして長期間その場所にとどまる人々が継続性を提供する一方で、新参者はクリエイティブな融合を生み出す多様性と相互作用を提供する、という議論を行ったのも（ジェイコブズ［一九七七］）、このような視点からとらえ直すことができるように思われる。そして同時に、コミュニティは「創造性」というテーマとも結びつくことになる。

＊

本書においては、以上のような問題意識を踏まえながら、コミュニティというテーマを幅広い角度から考えていきたいが、その大まかな流れは以下のようなものである。

全体は大きく三部に分かれる。**第1部（視座）**では、コミュニティという主題を考えていくための基本になる視座あるいは枠組みを、新しい角度から展開してみたい。ここでは最初に（先ほどの都市型コミュニティと農村型コミュニティという話題と関連する）「都市」というテーマを取り上げ（第1章）、さらにコミュニティをめぐる〝空間〟的な位相を「コミュニティの中心」という視点にそくして論じ（第2章）、さらに「コミュニティの単位」あるいは〝ローカルからの出発〟という問題意識ともクロスする形でグローバル化とコミュニティというテーマを議論する（第3章）。

続いて**第2部（社会システム）**では、第1部で示した視座も踏まえながら、これからのコミュニティひいては日本社会を考えていくにあたって重要となる「政策」や「制度」のあり方を考える。ここでは特に、福祉や社会保障、都市計画ないし都市政策、まちづくり、土地、住宅、環境といった領域が話題となり、「都市計画と福祉国家」（第4章）、「ストック」をめぐる社会保障」（第5章）という新たな視点を提起すると同時に、国際比較や歴史的動態、自治体調査等をベースに今後求められる政策のあり方を考え、提案を行っていきたい。

最後の**第3部**（**原理**）は、文字通りコミュニティというテーマを考えていくにあたってのベースとなる考え方や理念に関するものである。特に、「科学」（あるいは近代科学）とコミュニティとの関わり（第6章）、独我論という話題を導きの糸とした自己と他者あるいは「つながり」の根拠に関する考察（第7章）を行い、以上の全体を踏まえて、これからの時代における価値原理のあり方について大きな展望を描くことを試みたい（終章）。

それでは、以上のような関心を踏まえて「コミュニティ」をめぐる探求の旅を始めよう。

第1部 視座

第1章

都市・城壁・市民——都市とコミュニティ

†「都市」の意味するもの——都市と関係性

「コミュニティ」を主題とする本書の探求において、まず取り上げたいのは「都市」というテーマである。この話題は、プロローグにおいて「農村型コミュニティと都市型コミュニティ」という視点にそくして少し言及したが、ある意味で本書全体を貫くもっとも重要な論点ともいえるものだ。

実は私自身にとって、この「都市」というテーマは、少し前までは自分の中で、ほとんど関心の向かない——より正確にいえば、そもそもテーマとして意識されない——ものだった。せいぜいそれは、〝農村に対するもので、人が大勢集まっている場所〟というくらいの認識しかなかったのである。

ところが、遅ればせながらというべきであるが、ある時期から、以下に述べるような主にヨーロッパでの経験や見聞（一部中国を含む）などから、ヨーロッパなどの街と日本の街との、ある意味で根本的な違いに関心が向くようになり、その核のひとつにあるのがこの「都市」というテーマではないか、と感じるようになったのである。

いま述べた「根本的な違い」には、大きく、

・ソフト面……人の行動様式や人と人との関係性
・ハード面……建物の配置や景観など都市の空間的な構造

の両面があるのだが、まず前者から述べてみよう。

ここでいうソフト面の相違とは、すでに別のところでも論じたことがあるが（広井［二〇〇五］、［二〇〇六］）、とりたてて難しい、抽象的なことを指しているのではなく、以下のような、ごく日常的な場面での人と人との関わりのあり方についてのものである。

すなわちヨーロッパや、あるいはヨーロッパに限らず、世界の街のかなりの部分と対比すると非常に顕著なこととして、現在の日本の都市、とりわけ東京などの大都市圏においては、次のようなことがごく当たり前なことになっている。

(1) 見知らぬ者どうしが、ちょっとしたことで声をかけあったり、挨拶をしたり会話を交わしたりすることがほとんど見られないこと
(2) 見知らぬ者どうしが道をゆずり合うといったことが稀であり、また、駅などでぶつかったりしても互いに何も言わないことが普通であること
(3) 「ありがとう」という言葉を他人どうしで使うことが少なく、せいぜい「すみません」といった、謝罪とも感謝ともつかないような言葉がごく限られた範囲で使われること
(4) 以上のような中で、都市におけるコミュニケーションとしてわずかにあるのが「お金」を介した（店員と客との）やりとりであるが、そこでは店員の側からの声かけが一方通行的に行われ、客の側からの働きかけや応答はごく限られたものであること

以上については特に説明も不要と思われるが、(4)について補足すると、ある意味で非常に皮肉なことに、おそらく現在の日本において、見知らぬ者に対してもっとも「こんにちは」という言葉をよく使っているのはファストフード店（あるいはコンビニ）の店員（または日本語をわずかに知っている外国人）だろう。

たとえばヨーロッパなどのカフェでは、むしろ客の側が店に入ったときに店員に挨拶の言葉をかけたり、レストランで食事が運ばれてきたときに「Thank you」（中国なら謝謝）に相当する言葉を言うのが自然のことになっているが、日本の場合、そうしたことはごく限られたものになっている。そこでは「店員―客」という、いわば貨幣を介した一方的な関係しか存在せず、それぞれがまず一個の独立した個人である、という感覚が非常に希薄であるように思われるのである。客の側は、あたかも「主人」のようにふるまうか、赤ん坊が母親に面倒を見てもらっているかのような対応を示す。

以前、亡くなった映画監督の伊丹十三氏が「今の日本には母親と赤ん坊の関係しかない。これは基本的に『気持ちいい』の関係なのである。日本以外の国には『父』というプリンシパルがあるのに、日本にはそれがない。……日本人には神もプリンシパルもなく、人間関係しかない」ということを言っていたそうだが（小倉［二〇〇二］、強調引用者）、若干の誇張を含むものの、それは確かにその通りのことと感じられる。ここでの「人間関係」は「空気」と言い換えてもよいだろう。

†「集団が内側に向かって閉じる」

ところで、以上の(1)〜(4)に共通しているのは、「見知らぬ者」どうしの関係の希薄さ、あるいはコミュニケーションの不在ということである。なぜこの点が日本の特徴として際立つかといえば、そのことが、「知っている者どうし」、つまり〃身内〃における気遣いの、過度なまでの濃密さと表裏の関係にあるからである。言い換えれば、〃身内〃に対する関係と〃他人〃に対する関係のあり方の違いの「落差」の大きさが、日本社会においては際立っているのだ。

つまり日本における人と人との関係のあり方の特徴として、「〃身内〃あるいは同じ集団に属する者の間では、過剰なほどの気遣いや同調性が強く支配する反面、集団の『外』にいる人間に対しては、無視か、潜在的な敵対関係が一般的となる」ということが指摘できる。

たまに揶揄《やゆ》的なかたちで描かれることがあるが、たとえば商取引をしているサラリーマンどうしが、商談後にタクシーなどに乗る時に「お先にどうぞ」と言い当ってどちらも先に乗ろうとしない、といった場面が普通にある反面、見知らぬ者どうしの間では、先に(1)や(2)で記したように、相手に道をゆずるどころか、ぶつかっても互いに謝らないということが当たり前のことになっている。

また場面は全く違うが、学校でのいじめ問題などの根にある、どこかの「グループ」に属し、その集団の中でそれなりにうまく立ち振る舞っていかないとやっていけないといった風潮も、いま述べている特徴と重なっている。

そして以上のようなことは、日本社会に生活する限りは、あらためて説明が不要なほど、ごく自明なことになっている。しかしそうしたごく日常的な自明性の領域にこそ、その社会のもっとも根本的な特徴が存在するのではないだろうか。

同時に、こうした日本社会あるいは日本人の関係性の特質は、（どちらかというと現在よりむしろ少し古い時代に）様々な形で論じられていた。たとえばその典型的な例として、高度成長期にベストセラーになった、人類学者の中根千枝の『タテ社会の人間関係』（一九六七年）での以下のような記述。


「『ウチ』『ヨソ』の意識が強く、この感覚が先鋭化してくると、まるで『ウチ』の者以外は人間ではなくなってしまうと思われるほどの極端な人間関係のコントラストが、同じ社会にみられるようになる。知らない人だったら、つきとばして席を獲得したその同じ人が、親しい知人（特に職場で自分より上の）に対しては、自分がどんなに疲れていても席を譲るといったような滑稽な姿がみられるのである。実際、日本人は仲間といっしょにグループでいるとき、他の人々に対して実に冷たい態度をとる。」（中根［一九六七］）

また、時代は若干遡るが、和辻哲郎が『風土』で展開した次のような記述（書かれたのは昭和四年）も、以上のような文脈と重なるひとつの日本社会論といえる。

「そこで（引用者注：日本では）人々はおのが権利を主張し始めなかったとともに、また公共生活における義務の自覚にも達しなかった。そうしてこの小さい世界にふさわしい『思いやり』、『控え目』、『いたわり』、というごとき繊細な心情を発達させた。それらはただ小さい世界においてのみ通用し、相互に愛情なき外の世界に対しては力の乏しいものであったがゆえに、その半面には、家を一歩出づるとともに仇敵に取り囲まれているといと覚悟するような非社交的な心情をも伴った。だから『家』のまわりの垣根がちょうど城壁と鍵に当たるのである。かく見れば、『家』の内部における『距てなさ』への要求が強ければ強いほど共同への嫌悪もまた強いというゆえんが明らかになるであろう。」（和辻［一九七九］、強調引用者）

以上述べてきたような日本社会における人と人との関係性の特徴を、私は以前の著書の中で「集団が内側に向かって閉じる」という表現に要約したことがある（広井［二〇〇五〕、［二〇〇六〕）。「集団が内側に向かって閉じる」という意味は、すでにここまでの議論で述べたとおりのことであり、それは「プロローグ」の表1（コミュニティの形成原理の二つのタイプ）の「(A)〝同心円を広げてつながる〟」と対応するもので、都市型コミュニティに対する農村型コミュニティという対比においても理解できるものである。

†関係性の進化

ではそもそも「なぜ」日本社会においては、こうした関係性のあり方が強くなったのだろうか。これについては、その背景として考えられるものとして、〝稲作の遺伝子〟とも呼ぶべき要因があると思われる（広井前掲書）。〝稲作の遺伝子〟とはもちろん比ゆ的な言い方であり（生物学者のリチャード・ドーキンスが『利己的な遺伝子』の中で「ミーム」（＝文化の遺伝子）と呼んだものに近い）、それは「比較的恵まれた自然環境において、稲作を中心とする、小規模の、かつきめ細かな集団管理や共同作業、そして同調的行動が求められる集団で形成されるような人々の関係性のあり方」といった趣旨である。こうした社会構造においては、上記のような〝身内〟つまり顔見知りの集団の中での凝集度の高い行動様式や関係のあり方が求められると同時に、それは外部との交渉の比較的少ない、その意味である種の閉鎖性をもった社会であり、〝外〟の者に対する潜在的な排他性が伴う。こうした生産や分配等の経済―社会構造の中で、上に述べたような「集団が内側に向かって閉じる」という行動様式や関係性が、そうした環境に適応的なものとして形成され定着してきたといえるのではないだろうか。

逆にいえば、ここで述べているような人々の関係のあり方や行動様式といったものは、決して固定的なものではなく、自然環境や生産構造、社会構造等の変化の中でそれに適応しつつ「進化」していくものと考えるべきであり、それは**「関係性の進化」**と呼びうるものである（したがって〝日本人の〟とか〝日本社会の〟といった形容も括弧に入れて考えるべきだろう）。そして、ここでの主題にそくしていえば、本書のプロローグから述べているように、戦後の日本社会は農村から都市へと大移動を行いつつ、都市の中に「カイシャ」と「（核）家族」というムラ社会を作り、それらが経済成長という「パイの拡大」に向かって互いに競争する中でそれなりの豊かさを実現してきた。つまり、いわば〝農村的な関係性を都市に持ち込む〟ことを行いながらある時期まで一定の好循環を生み出していたのが戦後の日本社会だったのである。

しかし人々の需要が飽和し、経済が成熟して従来のようなパイの拡大という状況がなくなったいま、「ウチ―ソト」を明確に区分し、集団の内部では過剰な気遣いが求められる反面、集団を一歩離れると何のつながりや〝救い手〟もないような関係性のあり方が、かえって人々の孤立や拘束感・不安を強め、また様々な〝生きづらさ〟の源となっている(さらにいま〝救い手〟といった点は、第5章で論じる社会保障のあり方とも関連する)。つまり〝個人が独立しつつつながる〟という、真の意味での「都市的な関係性」を作っていくことがいま求められているのであり、そうした〝関係性の組み換え〟と呼ぶべき根本的な課題に直面し、様々な矛盾のプロセスの中にあるのが現在の日本社会といえるだろう。

増田四郎は著書『都市』の中で、「日本の都市というものは、共同体的な性格がどの条件から考えても非常に弱い。特に大都市になればなるほど共同体的性格は弱い」と指摘しつつ次のように述べる。

「日本の場合には、町人という意識は出て来ても、まだ全体としていえば、町に住んでいる人々は田舎とのつながりを持っているわけである。……東京の町に住んで、そこで自分がその町の神として祈りに行く場所がないわけである。……そういうときには、東京に住んでいる人はみな一人一人別の宗教、別の故郷の村と何らかのつながりを持っているわけで、現に住んでいる場所に全身全霊というか、人格の全体をささげた共同体をつくるということは非常にむずかしい。」

「以前、『東京は世界最大の村である』といった表現をよく聞かされたが、ヨーロッパの町々を廻り、そこに数ヶ月でも住んで帰って来ると、このことばはまことにうがった表現であったような気がする。」（増田［一九九四］）

増田の以上の指摘は、本書で繰り返し論じてきた「戦後の日本社会は都市の中に（カイシャや家族という）ムラ社会を作っていた」という議論と重なるだろうし、また増田のいう「共同体的な性格」とは、ここで論じている「都市型のコミュニティ」あるいは「都市的な関係性（つながり）」に対応するものだろう。

†ハードあるいは空間面における「都市」

「都市」というテーマから始めて、人と人との関係性という点に関する議論に及んだのだが、ヨーロッパなどの街あるいは都市についてごく素朴なレベルで感じられるのはそうした人々の関係のあり方や行動パターン（といった「ソフト」面）に関する点だけではない。

それは建物の配置や都市の空間的な構造に関するものであり、やはりまず〝街並み〟あるいは景観をめぐる問題がある。ここで日本社会の問題点ばかりをあげつらうようなことは避けたいのだが、私自身の限られた経験からいえば、現在の日本の都市（特に大都市）の景観は、残念ながら世界的に見てももっとも醜悪といわざるをえない状況にあると思う。

こうした景観をめぐる様々な課題については、すでに多くの議論や（二〇〇四年の景観法の制定を含めて）改善に向けての実践がなされつつあるが、ここで一点だけ指摘しておきたいのは、日本の都市とりわけ大都市においては、個々の建物が文字通り〝孤立〟して存在している、という点である。

つまり個々の建物が、その形状や高さ、色等を含めて、周囲との調和や街並み全体のまとまり等といったことを一切配慮することなく、ただバラバラに存在している。

それはあたかも、プロローグにおいて見たように、現在の日本社会において人と人との「社会的孤立」がもっとも高いという点とそのまま連動しているように見える。また本章で述べているように、現在の日本の都市において、見知らぬ者どうしのコミュニケーションがほとんど見られないということと、いま述べたような「建物」の孤立性ということは表裏のものに見える。つまり人と人との関係のあり方という「ソフト」面と、建物どうしの関係や全体としての街並みという「ハード」面のありようとは不可分の関係にあるということである。

いうならば、私たちがある都市の街並みや景観、その調和や不調和を見ているとき、私たちはその背後にある、その社会における人と人との関係性を同時に見ているのだ。

この点は、都市計画のあり方といった点も含めて後ほど（第4章）さらに吟味していきたいが、もうひとつ、街並みや景観と並んでヨーロッパなどの都市について特徴的に感じられるのは、都市の中心部を少し離れただけで、畑や森などの田園風景がすぐに広がるという点だ。たとえばドイツのどの都市でも——あるいはイギリス、北欧、イタリアなどでも基本的に同様だが——中心部から鉄道で四、五駅ほど外に向かえば田園のような風景が広がっており、日本との違いにある種の驚きを禁じえない。

もちろんこの点に関しては、人口規模という点があり、また戦後日本の大都市圏の場合、急激かつ大規模な都市への人口集中があったことに加えて、中心部においてヨーロッパに見られるような中層の集合住宅が少なく、都市計画も無きに等しかったため、住宅その他が郊外に無限にスプロール化していった——それに伴ってサラリーマンの通勤時間も限りなく長くなっていった——という基本的な状況がある。ちなみに意外に思われるかもしれないが、東京二三区の各区の人口密度は、パリの人口密度よりも「低い」という事実があるそうで、東京の二三区内のほうがはるかに密集し〝建て込んで〟いるように見えるのは、中心部でも二階建ての木造建築が多く存在していたり、細分化された土地の上にオフィスビルが無秩序に乱立していたり、広場や公園を含め公共的な空間が少ない等といった、空間構造のあり方によるところが大きいのである。

†「都市」とその〝外部〟

しかしいずれにしても、ヨーロッパの都市――中国も基本的にそうなのだが――の場合、「都市」の外延がはっきりしており、言い換えれば「都市と農村」の〝境界〟がある程度明確な形で存在するという点が基本的な特徴のひとつといえる。逆にいえば、日本の場合、都市と農村の境界が（よくも悪くも、というべきか）曖昧であり、言い換えれば、農村に対して画然と区分された「都市」という概念的実体が存在しないか、存在するとしても希薄なものであった、ということは確かである。若干余談ながら、私は数年前から中国の農村部における社会保障整備に関する国際協力プロジェクトに関わっているが、この中で痛感したのも、中国と日本の大きな相違のひとつが都市と農村の区分あるいは連続性の度合いという点だった。

ところでいみじくも、先ほど少し引用した和辻哲郎の『風土』の中に「だから『家』のまわりの垣根がちょうど城壁と鍵に当たるのである」という一節があった。これは要するに、

・日本社会における「家」の「垣根」

・ヨーロッパにおける「都市」の「城壁」

がパラレルな存在だという指摘である。この指摘の妥当性そのものについては後にあらためて吟味するとして、以上のようにヨーロッパにおいて（また中国においても）「都市」の外延あるいは「都市と農村」の境界をなしたのは、他ならぬこの「城壁」だった。

　こうした点に関し、都市計画学者の日端康雄は『都市計画の世界史』の中で次のような興味深い議論を行っている。

> 「城壁の存在は、同時に、都市の境界を明確にし、都市と農村、田園地帯との土地利用を区分した。逆に見れば、都市とは、その物理的条件として、コンパクトで、自然や農地とはっきり異なる、区分けされた存在として認識されたといえる。
>
> 　これらの事実と長年の経験、伝統は、近代に入っての新たな都市化の時代に都市の成長をどのように受け止めるかに重要な影響をもたらした。無秩序な市街地の拡張を押しとどめ、都市地域をコンパクトにするということが早くから当然のこととして政策に取り入れられた。ヨーロッパ各国のこうした経験は、……（中略）……農村や自然地域を都市化から守るという強い力になった。」（日端［二〇〇八］、強調引用者）

これに対し、「わが国の都市は、地球上で例外的に都市の城壁の存在が一般的でなかった。その結果、近代に入ると、急速な都市化の圧力の前に城壁を跡地として都市計画に役立てるという機会には恵まれなかった。また自然地域や農村の侵食には無防備であった。結果的に、先進国の中では、日本の都市だけが広大なスプロール地域の形成を見ることになってしまったのである」と日端は述べる。

この記述は、たとえば東南アジアにおける都市化や急激な人口集中などを考えると、一概に日本だけを特化して論じられるかという疑問も残る。つまり日本の都市の問題を考える場合には、ヨーロッパとの風土的特性の違いはもちろん、急激な後発型の産業化や大都市人口集中という、経済発展のパターンに関する要因も視野に入れる必要があるだろう。しかしそうした点をおいてなお、以上の指摘は日本における「都市」というテーマを考える際の本質的な視点を提供しているように思われる。

以上のような「城壁」を含めた「都市」の外延に関する議論を踏まえて、日端は以下のような示唆的な指摘を行っている。

「また、古代から城壁による物理的囲みは、人々に『一体感』を生んだ。防衛上の運命共同体という環境は人々に『共同体感情』を生み、『コミュニティ』を醸成したのである。……（中略）……『都市コミュニティ』は前近代の城壁の都市の時代を引きずりながら、近代都市計画の基本的テーマの一つになったのである。」（日端前掲書、強調引用者）

こうした「都市コミュニティ」の意味について、さらに考えてみよう。

＊荻生徂徠の都市論

江戸時代の思想家としてよく知られる荻生徂徠――私などのように、その思想を丸山真男の『日本政治思想史研究』を通じて知ったという者も少なくないかもしれない――は、以下のような興味深い「都市」論を展開していたらしい。すなわち、徂徠はその著書の中で「籠城トナレバ城下ノ民屋ヲ手前ヨリモ焼払フ　城下ト云モ異国ニテハ城内ナルニ日本ニハ別ノ物ニシテ之ヲ棄ル」と論じている。ここで「異国」とは中国のことで、つまり中国の場合は（ヨーロッパの都市と同様に）城壁の内部は一体的な都市であるのに、日本の場合は〝城下〟はすでに別の世界になっていて、戦乱の時は捨てられる存在になっていると批判する。

こうして徂徠は、城下町において「城郭と城下が戦術的にも一体化せず、また城下町を生活共同体として意識することなく、精神的にも連帯感がなく違和感が強く支配していることを鋭く指摘した」。さらに、江戸の周辺を区画する施設が必要だとし、都市のスプロール的発展をその区画によって規制しようとしたという(以上、西川[一九九四]による)。現在の日本の都市にそのままあてはまる議論ではないだろうか。

†「市民」という概念

都市の〝外延〟を画する城壁に象徴されるように、ヨーロッパ(や中国)などにおける都市では、都市とその外部(農村)との境界がきわめて明瞭であり、言い換えれば、日本と違って、都市というものがひとつの実質的な「まとまり」をもっているという感じが強いということを述べた。そして、実は「市民」という概念もこの点と不可分のものなのである。

私たちは、「市民 citizen」という言葉を言葉としては知っているし、それはメディアなどでもある程度普通に使われる用語になっているが、しかしなおこの言葉は、その実質的な内実を伴って日本社会に定着しているとはいえないように思われる。かくいう私自身も、この「citizen」という言葉の実質的な意味が、自分の中で納得のいく形で把握できているとは思っていなかった。

しかしながら、以上のような「城壁」、そしてそこでの「都市―農村」の区別や〝「都市」の外延〟の空間的な明確性、ひいてはそこから生まれる〝まとまった実体としての「都市」〟、さらにそこでの「(都市)コミュニティ」という関係性のあり方ということを考えたときに、私の中で「市民 citizen」という言葉あるいは概念が、非常に〝腑に落ちる〟形で明確な意味の内実をもって立ち現れることになった。後であらためて吟味するが、市民とはその意味ではある種の「資格」であり――それは一定の(言語化された)権利・義務を伴う――、メンバーシップと呼べるものである。そして「都市」が(城壁を通じて)その外延や外部をもつように、「市民」も本来的にその〝外部〟――「市民でない者」の存在――をもっている。

ここで、そうした「市民」との関係も含めて「都市」という概念の意味について議論しておこう。

従来から様々な系譜の都市論があり、ここでそれらの全体を概括することは本書の目的でもないし、かつ私の能力を超えるものだが、本章のここまでの議論の内容とも深く関わり、かつ「都市」ということの意味を考える基本的な手がかりを与えてくれるものとして、マックス・ウェーバーの都市論がある(ウェーバー[一九六四])。

ウェーバーは、その都市論において、すべての都市に共通しているのは「一つのまとまった定住――一つの『集落』」とりわけ一定以上の規模の「大集落」であり、かつそこで「財貨の交換」が行われること、つまり「市場の存在」であるとする。しかし以上だけでは都市の一面を見たに過ぎず、その政治的・行政的側面までを視野に入れると、「都市」というものは次のような存在として把握されなければならないと述べる。すなわち、

「都市は何らかの範囲の自律権をもった団体、特別の政治的・行政的制度を備えた『ゲマインデ』（引用者注：共同体とほぼ同義）として考察されなければならない」

ということであり、この理解を踏まえた上で、ウェーバーはさらに次のように言う。

「アジアの諸都市には、自律的な行政や、とりわけ――これが最も重要な点であるが――都市の団体的性格と、農村民と区別された都市民という概念とが、知られていなかったか、あるいは萌芽的に知られていたにすぎない。」（強調原著者）

「中国においても印度においても、ギルドその他の職業団体は、明確な諸権限をもっていたし、あるいは少なくとも官吏たちは事実上これらの団体と諒解をつけざるをえない事情にあった。……（中略）……これに反して、通常は、都市市民のゲマインデ

それ自体を代表しうるごとき・何らかの共同の団体〔例えば特に都市参事会〕は、存在していない。なかんずく、都市の市民の特殊身分制的な資格が欠如している。このような身分制的資格は、中国や日本や印度には全く存在しておらず、近東アジアにおいてのみその萌芽が見られるにすぎない。」（同）

要するに、都市の本質は、

① それがひとつのまとまった「団体」としての性格をもつこと、そして
② 「市民」という〝身分的資格〟の概念が存在すること

にあり、こうした内容を伴った都市なるものはアジア等においては存在しなかったという議論であり、これらがウェーバーのいう「都市ゲマインデ」、あるいは本書の議論の文脈に引き寄せれば「都市型コミュニティ」の実質をなす、という把握である。

ウェーバーの都市論は一九二〇年代に初形が公表されたものであり、その事実関係の把握においても、またある種の〝ヨーロッパ中心主義的な〟理解の枠組みやバイアスという点においても、様々な面で距離を置いて見るべきものであるが、しかしその点をおいてな

お、私たちが「都市」というものを考えるにあたっての基礎的かつ重要な視点を提供していると思われる。

ちなみに、先ほど言及した「城壁」についてもウェーバーは言及しており、「日本においては、それは原則として存在しなかった」、「逆に、中国では、すべての都市が巨大な城壁で囲まれていた」とした上で、「通常は、東洋の都市にも古典古代＝地中海的都市にも、また普通の中世的都市概念にも、城砦か城壁かが含まれていたのである」という興味深い指摘を行っている。

†団体としての都市

ところで、以上のウェーバーの議論に出てくる、都市のもつ「団体」としての性格という点は、若干ぴんとこない面があるかもしれない。この点に関して、やや個人的な事柄に言及させていただくと、私は数年前から横浜市の経営諮問委員会の委員という職を務めているのだが、そこでも時々使われる「都市経営」といった言葉が、自分の中で十分にその意味をつかめていない感じをもっていた。

ところが、あるきっかけで、経済学者の岩井克人がその著書の中で述べている次のような議論を思い出し、その関連で「都市経営」そして「団体としての都市」という言葉の意味が実質を伴って理解できるようになったのである。
すなわち、岩井は「法人」という概念の歴史的起源を考察する中で、法人という概念が最初に制度化されたのはローマ時代であり、しかも法人という概念を最初に採用したのは、資本主義とは直接関係がない「自治都市」や植民地だったという。そうした点を踏まえた上で、岩井は次のように述べる。

「都市自治体とは、英語でいうと municipal corporation あるいは city corporation です。ということは、それは、ほんとうは、自治会社あるいは都市会社と訳すべきものであったのです。いや、言葉の上だけではなく、実際の仕組みとしても、自治都市は現在の株式会社とよく似ています。市民は株主に対応していますし、市の行政機構は会社の経営組織に対応していますし、市長さんは会社の代表取締役の役割をはたしていました。」（岩井［二〇〇三］）

若干話題を広げることになるが、岩井はこうした把握を踏まえた上で、今後の展望として「二一世紀とは、NPOの活動、とくにNPO法人の活動がますます活発になっていく世紀である」とし、その根拠として、それはある種の「先祖返り」に他ならず、なぜなら

「法人の起源は、ローマ時代や中世における都市や僧院や大学といった、まさに現代の言葉でいえばNPOであったのです」という印象深い議論を展開している。

話を「都市」に戻すと、以上のように考えれば「(都市)自治体」といった言葉が、私たちが通常使うのとはかなり異なる、意味の強さをもって立ち上がることになる。つまり「自治体」というと、現在の日本語ではどちらかというと(市役所などの)「行政」(組織)を指すものとして使われることが多いが、それは本来そうではなく、そこに住む市民全体を含んだ「団体」なのである。

そうすると、岩井が述べるように市民は〝株主〟に対応するともいえるが、見方を変えれば、市民は、その人が住んでいる「○○市」という団体(コーポレーション→法人、会社)の〝社員〟ともいえるかもしれない。そこからさらに議論をふくらませれば、本書の中で論じてきたように、戦後の日本社会において人々は「カイシャ」と「家族」というコミュニティ(ムラ社会)への帰属意識を強くもちつつ高度成長期を生きてきたわけだが、「地域」というコミュニティの存在が重要になっていくこれからの時代においては、やや妙な表現かもしれないが、いわば住んでいる市や街あるいは地域を一種の「カイシャ」(=コーポレーションとしての都市)と見立てて、そこへの帰属意識や〝愛着〟をこれまでよりも強くもつと同時に、それがよりよい姿になっていくように積極的に参加していく、というイメージを考えることもできるだろう。そして若干の希望的観測をこめて言うならば、案外そうした方向が、かつてウェーバーが論じた「団体としての都市」そして「市民」意識ということを、（次章で論じる「ミッション型コミュニティと地域コミュニティの融合」という点とも呼応しながら）現代的な形で実現することにもつながるかもしれない。

†都市という「まとまり」――西欧中世都市の二つの型

ここで少し脱線することをお許しいただきたい。二〇〇八年の夏に旅行でイタリアのトリノ（及びその近くにある、〝スローシティ〟として知られるブラという街）を訪れたとき、街の全体が、あたかもひとつの「家の建築」であるかのように、一貫した意図ないしプランによって計画されている、という印象を強くもった。たとえばある広場に立ったとき、ふと駅のほうに通ずる道を見ると、その街路と遠方にやや小さく見える駅舎（これも造形性の高いもの）を含む景観の全体が、幾何学的に綿密に工夫された一枚の絵のように見え、しかもそのこと自体、（この街を計画したであろう者によって）意識的に設計されたものである、ということが伝わってくるのである。

ちなみに、都市計画が専門の日端康雄は「前近代都市」と「近代都市」という区分をひとまず行ったうえで、前者についてそれが「一つの建築的存在」であるとし、「ヨーロッパ都市では、まず城壁を軍事的観点から定めて、その後、街割を行った。古代や、中世ルネッサンス期は、建築家や芸術家が都市計画を主導し、神殿や宮殿を造るように都市を造ってきた。近代に入ったイギリスで最初に都市計画の職能の主導権を建築系の専門家がとったのもそうした過去とのつながりからであろう」と述べている（強調引用者。日端［二〇〇八］）。私は都市計画についてはほとんど素人だが、トリノで感じた上記のような印象は、まさにこの記述と重なるものだった。

その上で日端は、近代都市におけるその変容について次のように論じる。

> 「近代都市の特徴は都市の巨大化であり、都市の規模が前近代のそれと決定的に違ってしまった。大都市を全体として建築的にとらえることが不可能となった結果、都市の全体構成と街区や地区の都市計画が分離した。その全体の構成は地理とダイヤグラム（考え方などをわかりやすく図解したもの）でしか表現できないので、全体像は概念的、抽象的にならざるを得ない。一方、街区や地区は建築的に具体的な表現が可能である。つまり近代の都市は、その全体と部分の関係が一体で処理できないスケールになってしまった。……全体は全体の論理、部分は部分の論理でとらえる二層制のシステムが近代都市計画の特徴になった。」（同）

ここで出てくる「二層制のシステム」の意味については、第4章の「都市計画と福祉国家」であらためて取り上げたいと思うが、ここで問題にしたいのは少し別のところにある。

いまトリノの例にふれたが、同じヨーロッパでも、(私が比較的よく行く)ドイツや北欧などの街の印象はやや異なっている。街並みが美しく、整然としており、そこに大きな「まとまり」が感じられるという点は同じなのだが、その印象ないし中身がかなり異なっているのだ。すなわち、トリノなどイタリアの多くの都市で感じられる街のまとまりや景観の一貫性というのは、先ほどのトリノでの印象とそのまま重なるのだが、「ある強力な主体(為政者ないし権力者)がいて、その意図の下で計画的に整備された」という感じのものである。それに対し、ドイツなどの街で感じられるその「まとまり」は、むしろ比較的中小規模の主体(自営業者や住民など)が、相互に調整し、その中で一定の調和的な景観や街並みを作った、という印象を受ける。

以上のようなことは全くの主観的な印象に過ぎないのだが、しかし様々な街や地域を訪れるときに、そうしたこと(街並みや景観のありようと、そこからもうかがわれる人々の関係性といったもの)をある程度意識的に見てきたことは確かであり、興味深い違いだと感じていた。

そして、先ほども一度言及した増田四郎の『都市』の中に、北ヨーロッパと南ヨーロッパの都市の対比に関する次のような記述があるのを見つけて、まさに上記の内容と重なっていることに気づいた。なお注意書き的に記すと、増田が以下の記述で言っている「北欧」とは、狭義の北欧（スウェーデンなど）ではなく、ドイツやオランダなどまでを含めた「北ヨーロッパ」という意味であることに留意されたい。

「北欧型の都市の成立は、商人特に遠隔地商人ギルドの人々により、もっぱら商工業を営みとするものの誓約団体という形をとり、それが封建的な勢力を排除して、コンミューンという団結を固めた点に特色があるといえるが、そういう成立事情のために、北欧都市の市民の構成というものは、他の諸地域に比して純粋にデモクラティックな中産階級の共同体という形に変わっていったと考えられる。これに反して、南欧型、ことにイタリア都市はどのような成立事情を示したであろうか。イタリア中世都市の勃興という現象は、大体一一世紀ごろの商業の発達に際し、古くからの都市に成立しつつあった商人層とその周辺を支配していたランゴバルド族出身の封建貴族との結合、すなわち封建貴族が都市市民化するということをきっかけとして行われたものである。」

「北欧型の市民階級に比べて、その構成要素というものは、商工業を営む庶民の結合というよりは、むしろそういうものと封建貴族とが合体してできた不純なものであったというふうに思われる。……やがて一四世紀以後になると、絶大な支配力を持つところの財閥とか、あるいはその中から出た専制的なタイラント、独裁者を生み出した。」（増田［一九九四］。強調原著者）

つまり、単純化すれば「北ヨーロッパの都市＝中産階級主体の（市民的な）共同体」、「南ヨーロッパの都市＝封建貴族の市民化と、そこでの専制君主の存在」という対比であり、先ほど述べた、ドイツの街とイタリアの街の（景観的な）印象の違いはこのこととかなり重なっているだろう。

以上のことを、もう少し一般化して述べると次のようになる。「都市」あるいは地域の空間が「ひとつのまとまった存在」であるという意識は、そもそも一体どこから生まれるのだろうか。本章でも論じてきたように、現在の日本の都市にはこれがほとんどない。第三者的に考えると、それは、

(1)　専制君主や王家による統一性であったり（先ほどのトリノでの印象など）、

(2) 中世の北ヨーロッパ自治都市のような市民的自治（の萌芽的形態）であったり、
(3) 農村の「共」的な有機性であったり、
(4) （たとえばキリスト教のような）普遍的な原理の存在であったり、
(5) 社会主義的な計画性や統一性であったり（社会主義圏の都市の印象はこれに重なる）、

等々様々な形がありうるだろう。単純にいえば、(1)に回帰することは困難とすれば、(2)が潜在的にもつような「公共性」を発展させ、他方で(3)のような「共」的要素も生かし、また(4)のような、そこで基盤となる普遍的な原理を模索するということになる。また、(5)の社会主義という点は唐突に響くかもしれないが、そもそも近代「都市計画」というものにはある種の〝社会主義的〟な要素が含まれており、また、別のところでも論じたように（広井［二〇〇九］）、これからの時代においては、ある面で〝資本主義と社会主義（及びエコロジー）のクロス・オーバー〟ともいうべき状況が展開していくと考えられる。これらの論点や展望については、次章以下でさらに考えていきたい。

†市民あるいは都市の排他性？

本論に戻ろう。先ほど論じたのは「団体」としての都市という論点に関するものだが、もうひとつ、「市民」という概念の吟味が残っている。

ここで、先ほどの「城壁」に関する議論を思い出してみよう。そのポイントは、「都市」は（城壁に象徴されるような）ある種の〝外延〟あるいは〝外部との境界〟をもっており、その内部にいる成員が「市民 citizen」ということなのだった。そして、城壁に象徴される〝外部との境界〟の存在が、その内部のメンバーたる市民の間の「コミュニティ」意識を支える要因のひとつになっているということだった。

ここで、自ずとひとつの根本的な疑問が生まれる。それは、そのように「都市」もまた、〝外部との境界〟をもっているのだとすれば——言い換えると無限に「開かれた」存在ではないのだとしたら——、それは、「ウチ—ソト」を明確に区分し、閉鎖的な性格をもつとして議論してきた「農村型コミュニティ」（ムラ社会）と最終的には変わりないのではないか、という疑問である。

これは、人と人との関係性あるいは社会構造というテーマを考えていくにあたっての、もっとも根本にある主題のひとつと私は考えているが、それについて言えることは、結論から述べれば次の二点である。

(1) **「都市型コミュニティ」も「農村型コミュニティ」も、無際限に「開かれた」もの**

ではなく、その〝外部〟をもっている。しかしながら、いわばその境界線の引き方、言い換えれば成員の間の「つながりの原理」において両者は異なる。

(2)「都市型コミュニティ」と「農村型コミュニティ」は、それぞれが長所・短所（あるいは強さと限界）をもっており、両者はある意味で補完的であって、最終的にはその両方が重要である。

このうち(1)については、プロローグでの表1における(A)（＝農村型コミュニティ）と(B)（＝都市型コミュニティ）の対比がある意味ではすべてを示している。つまり、農村型コミュニティの場合は、人と人とを結びつけるのは、「共同体的な一体感」であり、そのつながりは（一体感という言葉そのものが示しているように）情緒的、かつ非言語的な性格のものである（そのひとつの原型は母子関係に求められるだろう）。若干注釈を行えば、こうした「共同体的な一体感」というものは、〝場の共有〟ということ、つまり同じ職場で毎日働いているとか、同じ村に住んで生活を営んでいるといった空間の共有性が典型的なものだが、しかしそれに限らず、たとえば「同じ母校の出身者」とか「同じ日本人」といった、（ベネディクト・アンダーソンの『想像の共同体』の議論に通ずるような）意識の上での共同性を含むものである。究極的には、それは「地球共同体」、〝グローバル・ヴィレッジ〟といった地球レベルにまで拡大しうるものである。

これに対し、「都市型コミュニティ」の場合は、その「つながり」の原理をなすのはもっと言語的・規範的なものであり、「個人をベースとする公共意識」と呼びうるものがその実質をなす。この場合、そこではある種の〝普遍的なルール〟ないし〝原理・原則（基本的理念）〟というものが人と人とのつながりを支えており、逆にいえば、そうしたルールないし基本理念への賛同あるいは遵守を示せば、その限りにおいてそれは誰に対しても「開かれた」ものなのである。先ほど「市民」とは資格あるいはメンバーシップであり、無際限に開かれたものではないという議論を行ったが、それはこうした意味においてである。

そしてさらにいえば、いま述べた「ルールないし基本理念への賛同あるいは遵守を示せば、その限りにおいて」という点は、実はある種の能力主義的な排他性あるいは差別を潜在的に含んでいるといえるだろう（たとえば文字を読めない者、ある理念の意味を理解しない者は排除されるといった形で）。「都市 city」の原理と「文明 civilization ないし civilized」が重なるひとつの場面がこうした点であろうし、歴史的文脈においては、それはまた「農民」に対する差別ないし抑圧ということとも表裏の関係にある。ましてや、人間以外の動物など、「自然」は（少なくとも原理的には）「都市」に対する対立物であり、「市民」概念は〝人間中心主義〟と表裏の関係にある。つまるところ、農村型コミュニティが「水平的な排他性」をもつとすれば、都市型コミュニティは「垂直的な排他性」を（少なくとも潜在的には）もつといえるのである。

ちなみに先ほど日本社会における「ウチ―ソト」意識に関して引用した中根千枝は、人間の社会集団は、究極的には「資格」と「場」という二つの異なる原理によって構成されるとし、地球上に存在する様々な社会は、集団構成の第一条件が、それを構成する個人の「資格」の共通性にあるものと、「場」の共有によるものとに区分できるという議論を行っている（ここでの「資格」とは通常の用法より広い意味のもので、個人の一定の能力や資質をあらわすもの）。そして、日本人の集団意識は「場」（の共有）による部分が非常に大きいという点で際立った特徴を有するとする（中根［一九六七］）。他方、ここで議論している「市民」とは、まさに中根のいう「資格」ということと重なっている。

ところで、以上の「農村型コミュニティ」と「都市型コミュニティ」の対比は、いわば理念的に純化したものであり、現実の歴史においては、これらがその濃淡を変えながら複合する形で生成してきたというべきだろう。たとえば、ここで論じてきたヨーロッパの都市の「城壁」とそこにおける「市民」は、いま述べた「都市型コミュニティ」に概ね重なるものとさしあたりいえようが、その〝外部との境界線引きや排他性〟には、実はたとえば何らかの民族的・文化的な共同性ないし同質性がある程度働いており、純粋に「開かれた」ものではないといったことも指摘できるだろう。また、その「つながり」が純粋に理念的な次元のものであれば、そもそも「城壁」というマテリアルな境界線は不要ともいえる。

この論点は、先ほど指摘した(2)と関係してくる。つまり「都市型コミュニティ」と「農村型コミュニティ」という二つのつながりの原理は、相互に補完的なものであり、最終的にはその両者(のバランス)が重要であるという把握である。

つまり、「都市型コミュニティ」というものは、「開放性」という点においては長所をもっているが、その結びつきを支えているのは規範的・理念的なルールや原理であり、それ自体において〝情緒的な基盤〟をもっていない。しかし人間という存在は少なくともそのベースに情緒的あるいは感情的な次元をもっている生き物であるから、何らかの形での「農村型コミュニティ」的なつながり、つまり共同体的な一体意識をも必要としている。逆にそうした一体意識は、ある意味で強固なものとなりうるが、それは状況の変化に対して不安定であったり、また外部に対して閉鎖的・排他的という側面をもっている。こうした意味で、「農村型コミュニティ」と「都市型コミュニティ」という二つのつながりの原理は、相互に補完的なものといえる。

そしてこの点は、プロローグにおいて人間における「関係の二重性」ということを指摘したことに再び帰着することになる。つまり人間のコミュニティというものは、〝重層社会における中間集団〟として把握できるものであり、集団の内部的な関係性（＝農村型コミュニティ）と、その外部との関係性（＝都市型コミュニティ）の両方をもつ点に核心があり、その（互いに異質な）両者が人間にとって本質的な重要性をもっているのである。

第2章 コミュニティの中心——空間とコミュニティ

プロローグにおいて「コミュニティ」というテーマを考える際のいくつかの基本的視点や課題について論じ、前章ではその手始めに「都市」という話題を取り上げたが、ここで視点をコミュニティをめぐる「空間」的な側面に移すとともに、日本の地域社会での現状や展望を考えてみよう。

†「コミュニティの中心」という視点

ヨーロッパの国々、たとえば北欧のスウェーデンの地方を車や列車で旅すると、「コミューン」と呼ばれる、地方自治の単位となっている地域の中心部に、必ず教会が位置しているのが印象に残る。特に北欧の場合は、プロテスタント（新教）国家ということもあって国家と教会の結びつきが強く、中世において教会が行っていた福祉的な事業や税の徴収を国家がひきついでいったという経緯があった。それが他ならぬ高水準の「福祉国家」が生まれた大きな背景となっている。「福祉」と「文化」は深く結びついているのである。

こうしたことは、あくまで北欧やヨーロッパの話で、日本ではまったく文化的背景が違うと私は思っていたが、しばらく前から必ずしもそうでもないのではないかと考えるようになった。

たとえば、意外に思われるかもしれないが、全国にあるお寺の数は約八万六〇〇〇、神社の数は約八万一〇〇〇であり、これは平均して中学校（約一万）区にそれぞれ八つずつという大変な数である。考えてみれば、祭りや様々な年中行事からもわかるように、昔の日本では地域や共同体の中心に神社やお寺があった。〃日本人は宗教心が薄い〃というような見方は、戦後の高度成長期に言われるようになったことだと思われる。これほどの数の〃宗教的空間〃が全国にくまなく分布している国はむしろ珍しい。戦後、急速な都市への人口移動と、共同体の解体そして経済成長への邁進の中で、そうした存在は人々の意識の中心からはずれていったのである。

いま神社・お寺の例に言及したが、それではこれからの日本社会において、そうした「コミュニティの中心」——ここでは暫定的に「地域における拠点的な意味をもち、人々が気軽に集まりそこで様々なコミュニケーションや交流が生まれるような場所」といった意味――となりうるような場所はどこになるのだろうか。あるいは、そうした「コミュニティの中心」といった場所は、人々の移動や流動性が顕著な現在においてはそもそも存在しない（あるいは必要がない）と考えるべきなのだろうか（ちなみに最近、神社やお寺、農園といった場所を高齢者ケアや子育て支援、環境学習など、ケアやコミュニティ空間を醸成する空間として活用する試みが各地で生まれつつある。広井［二〇〇五］参照）。

こうしたテーマを考えていくにあたり、二〇〇七年に亡くなった建築家の黒川紀章がこれまで様々な文脈で展開してきた議論は一定の示唆を含んでいる。黒川によれば、「都市の歴史的変容」という視点で大きな概括的把握を行った場合、「都市の中心」は概ね表2-1のような変化をたどってきたという。

以上のような認識を踏まえた上で、私たちがこれから迎えようとしている「個人の都市」（または生活の都市）について、黒川は以下のような興味深い議論を展開する。

「『個人の都市』には中心がない。……中心に大きな広場があって放射状の道路があり、統一された一つの秩序があるような都市の時代は終わった。」

「新しい都市は、小都市（地域）の集合体であり、中心のない環状都市だ。そこでは『時間コミュニティ』……が交流の場を形成する。」

表2-1　都市の歴史的変容

都市の基本的性格	その中心
“神の都市”	神殿
“王の都市”	宮殿
“商人の都市”	広場（プラザ）
“法人（企業）の都市” ↓	大企業の本社や銀行、百貨店等
“個人の都市”（or生活の都市）	「中心のない都市」

（出所）黒川（2006）を基に作成。

「喪失したコミュニケーションをとりもどすためには学校や家庭そして共有空間が重要で、従来の都市の公共広場にはその力はない。……巨大な老人養護施設ではなく、さまざまな世代が交流しコミュニケーションすることが可能なグループホームを。巨大な統合中学・小学校ではなく、小さな、多くの学校や塾を。そして巨大な病院ではなく、多くの質の高い、町の医院を。巨大な図書館や公民館ではなく、住んでいる人もそうでない人も訪れることのできる小さな図書館や劇場やサロンを。」（黒川［二〇〇六］）

ここで示されている多様な論点については本書の中で順次議論していきたいが、「コミュニティの中心」というテーマに絞れば、黒川の議論はここでの問題意識にとって両義的な意味をもっている。確かにかつてのような統一的・一元的な「コミュニティの中心」はこれからの都市においては困難あるいは不要かもしれない。しかしひとつの統一的な「中心」ではなくとも、（見知らぬ）

人々が気軽に訪れ、そこでコミュニケーションが生まれるような拠点的な場所は重要ではないか。また、実はこうした広い意味での「コミュニティの中心」あるいは「拠点」は、黒川が従来から様々な形で論じてきた「共有空間」あるいは「中間領域」といった概念に近いともいえるのではないか。

それらについて黒川は次のように述べている。

「バラバラに自立し拡散する個人を都市へつなぎ止めるのが『共有空間』である。……古典的なコミュニティ再生論を信じて、広場や公園といった公共空間を創出することだけでは、コミュニティの再生にはほど遠い。個人と建築や巨大な都市との間をつなぎ共生させる何らかの空間装置『中間領域』『共有空間』が必要ではないだろうか。……東京にもニューヨークにも、都市空間の中に、ふと立ち寄れる身近な休息地や、地域や職場のそばにある安全なシェルターとしての公共空間・共有空間が、あまりにも少ない。都市の中の個の孤独を救う道はあるのか、都市の中の個と個の不信感を取り除くことはできるのか。」（黒川［二〇〇六］）

いずれにしても、それではこれからの日本において、そのような広い意味での「コミュニティの中心（ないし拠点）」をなす場所としては一体どのような場所が考えられるだろうか。こうした問題意識から行ったのが、次のような市町村アンケート調査である。

†コミュニティ政策に関する市町村アンケート調査

今回行った調査（「地域コミュニティ政策に関するアンケート調査」）は、二〇〇七年五月実施のもので、対象は全国の市町村であり、全国市町村一八三四のうち無作為抽出九一七プラス政令市とその区・その他で計一一一〇団体に送付し、返信数六〇三（回収率五四・三％）であった（平成一八―一九年度科学研究費補助金に基づくもの）。

主な質問事項は、地域コミュニティの中心、地域コミュニティの単位、地域コミュニティづくりにおける課題・ハードル、地域コミュニティづくりの主体、地域コミュニティ政策において重要な点、その他複数の自由回答項目等からなるものである。

ここでは、その全部を紹介するのは困難なので、本書の問題意識に関連する限りで結果の一部をごく簡潔に概観してみよう。

まず、「コミュニティの中心」として特に重要な場所は何かという質問項目については、図2-1のような結果が示された。

順位としてみれば、一位＝学校、二位＝福祉・医療関連施設、三位＝自然関係、四位＝

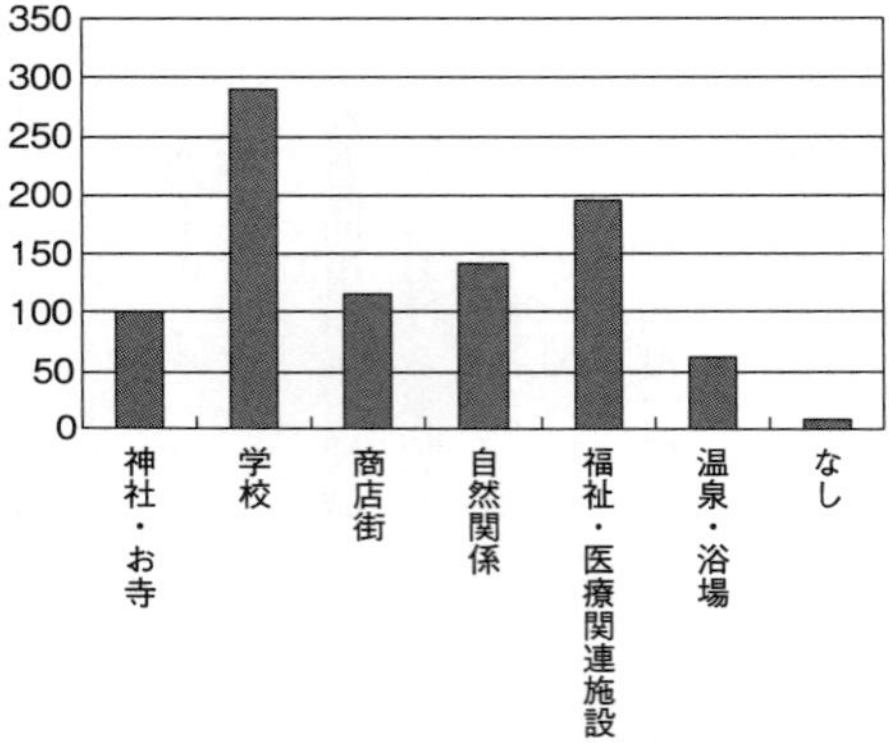

図2-1「コミュニティの中心」として特に重要な場所
（注）以上のほか、「その他」と回答した数が351あり（内訳は、公民館174、自治会館77、地区センター等68、コミュニティセンター等49など〔重複回答あり〕）。

商店街、五位＝神社・お寺、等となっている。

このうち「学校」が一位となったのは、明治以降「学校」及び「学区」というものが地域コミュニティの中心かつ主要単位であったことを考えればある意味で予想の範囲内でもあったが、あらためてその重要性が浮かび上がったといえる。

一方、「コミュニティの中心」として重要な場所の二位に「福祉・医療関連施設」が来たのは予想よりも上位で、これはプロローグで述べた「高齢化」をめぐる構造変化と深く関連していると思われる。つまりプロローグの図3で「人口全体に占める『子ども・高齢者』の割合」に関するU字カーブを見たが、かつての時代にその核をなしていた「子ども」に対応するのが「学校」だとすれば、今後急激に増えていく「高齢者」に対応するのが「福祉・医療関連施設」ともいえ、したがって〝かつて地域において学校が果たしていたような役割を今後は福祉・医療関連施設が担う〟という側面が確かに存在する。その意味では、これからの福祉・医療関連施設は、これまでのような単なる「閉じた空間」ではなく、地域に開かれた、文字通り「コミュニティの拠点」的な機能が求められているといえるだろう。

＊いわゆる近隣住区論との関係――都市計画とコミュニティ

二〇世紀における都市計画に大きな影響を及ぼしたいわゆる「近隣住区論」（C・A・ペリー）においても、近隣住区の規模は一般に「小学校一つを必要とする人口」が適当とされ、また小学校をはじめとする学校が住区の中心に配置されるべきものとされていた（日端［二〇〇八］参照）。

背景的には、ペリー自身も参画した「コミュニティセンター運動」（主として小学校などの校舎の一部を利用して地域住民の公民館のような機能の施設を作り、人間性の回復に寄与させようとした運動）と呼ばれるものが一九一〇年代からアメリカで活発になっており（これは一九世紀後半イギリスでのいわゆるセツルメント運動から影響を受けたもの）、こうした運動や、同時期に議論された「モデル・コミュニティ」と呼ばれる良好な住宅地のモデルが集約される形でペリーの近隣住区論が生まれ、上記のように世界各国に影響を与えていった。日本においては、一九七一年に自治省（当時）が「コミュニティ（近隣社会）に関する対策要綱」という通達を出しているが、これは「おおむね小学校の通学区域ほどの広がりを持つ」モデル・コミュニティの設定や、コミュニティセンターの整備を内容とするもので（菊池［二〇〇七］、山本［二〇〇五］参照）、他でもなくペリーの近隣住区論の系譜に属するものといえるだろう。

†「コミュニティの単位」――日本における地域コミュニティの原型とは

ところで、そもそも「(地域) コミュニティ」というとき、その〝範囲〟あるいは実質的な〝単位〟は一体何をさしているのだろうか。形式的に「市町村の行政区画」と答えるならば格別、意外にもこの点は十分明らかではない。また、市町村合併等により、行政区画上の単位ないし境界自体も時代に応じて大きく変化してきている。

余談的に述べると、日本語もよく話せ、日本に数年以上滞在経験のある、比較的親しい中国人の研究者と話していたとき、彼が「日本の都市や街は、どこからどこまでがその範囲なのかがわからない。何の切れ目もなく、いつの間にか別の街になっている」と述べていたのが印象に残った。前章で「都市のまとまり」という話題にふれたが、「コミュニティの単位」という発想自体が希薄になっているのが日本の現状だろう。

市町村アンケート調査では、これからの日本社会における「(地域) コミュニティ」を考えるとき、その実質的な単位あるいは範囲をどう考えるべきか、という問いを設定した。

結果を見ると、これについては図2-2のように「自治会・町内会」が群を抜いて多く、次が「小学校区」であった。自治会・町内会については、菊池［二〇〇七］が指摘するように、「戦後の政治学や行政学において、前近代的組織、ときには『第二のムラ』として、もっぱら否定的に扱われ」る傾向にあったが、その起源において地域の「自生的秩序」としての性格をもっていた場合が見られるということも含め、一概に否定されるべきものではないと思われる。

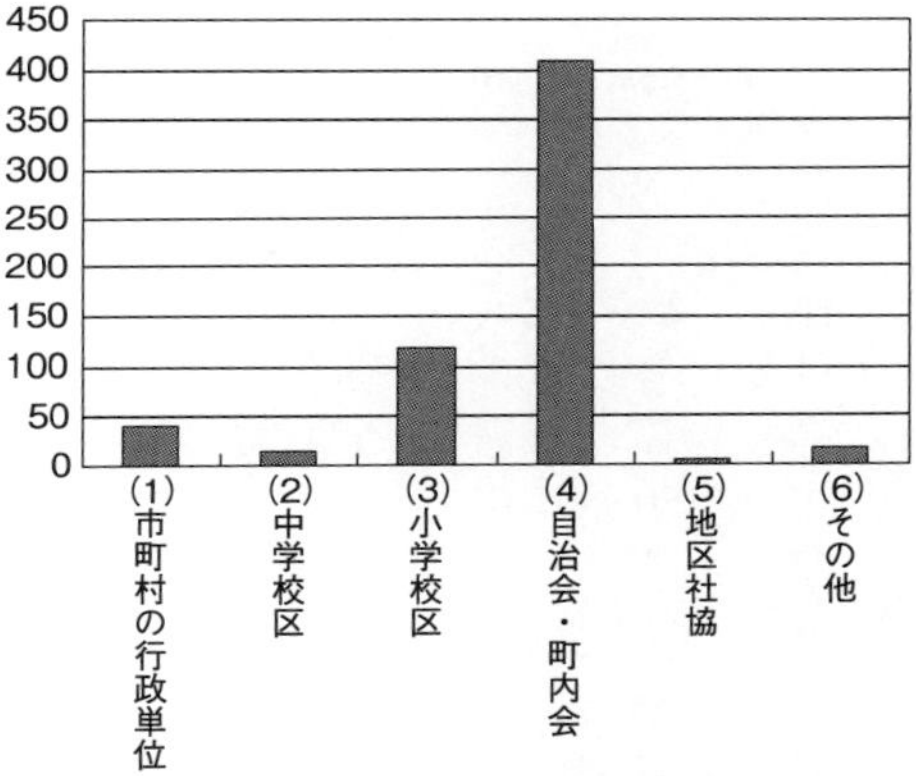

図2-2 「地域コミュニティの単位」として実質的に特に重要なもの

再び余談ながら、私の実家は地方都市（岡山）の商店街——現在はほとんどシャッター通り化している——の小売店で、町内会というのは（お祭りなどを含めて）ある意味で比較的身近な存在だった。今後の地域コミュニティにおける自治会・町内会というもののあり方については、NPOなどミッション志向の組織との関係や連携を含め、今後さらに議論や様々な実践が必要といえるだろう。

ところで、「コミュニティの単位」というテーマに関して、そもそも日本において、そうした「コミュニティの単位」の〝原型〟をなすものは一体どのような存在なのだろうか。時代を明治期以降にひとまず限定するとすれば、以下のような制度的な経緯は、その基本的な理解に関して確認しておくべき内容となるだろう。すなわちそれは、

(a) 一八七一年（明治四年）戸籍法制定
(b) 一八七八年（明治一一年）新戸籍法制定（郡区町村編成法）
(c) 一八八九年（明治二二年）市制・町村制……自然村を大字・小字に格下げ
(d) 一九〇六年（明治三九年）神社合祀

という一連の流れに関するものである。

このうち(a)は、一区あたり千戸の戸籍からなる地域とし、神社一つを郷社に指定するという内容のもので、江戸時代の寺請制度の「宗門改め」に代わる「氏子改め」という内容のものであった（郷社氏子制）。ところが明治政府による性急な編成の試みであったせいかこれはうまく機能せず、(b)の郡区町村編成法の時に廃止される。やがて(c)に見られるように、もともと存在していた自然村を大字・小字という形に格下げしつつ、市制・町村制が

敷かれ行政区分上の自治体が形成されていくことになる。「明治政府は行政地区の一元的な合理化支配を押し進めるとともに、義務教育を行う学区と国民教化・国民道徳の基盤としての神社の氏子区を統一的に関連させようとはかったのである」（鎌田［一九九一］）。併せて全国各地に存在していた神社が編成・統合されて(d)のいわゆる神社合祀が進められていく。中沢新一が『森のバロック』で論じた南方熊楠が、この神社合祀に反対したのは有名な話である。それはそうした統合が、自然、コミュニティ、スピリチュアリティ（八百万の神々）が一体となった地域社会を解体してしまうからだった。

興味深いのは、明治初期には神社の数は約一八万余であり、これが自然村の数とほぼ同じであったと考えられるが（鎌田前掲論文）、神社合祀の結果、明治末には約一一万余にまで減少したという点である（現在は先述のようにさらに減って八万余）。一方、郡区町村編成法の時の自治体の数は約七万（一八八八年時点で七万一三一四）で、市制・町村制の時のそれは約一万六〇〇〇（一八八九年時点で三九市と一万五八二〇町村）となっている。結局、以上を踏まえてポイントをまとめると、

(1) 日本における地域コミュニティの原型（あるいは自然村）を考える場合、神社（あるいは鎮守の森）という存在が核のひとつをなしているが、それ自体、明治時代以降

〝合併〟が行われてきた

(2) さらに行政上の自治体の数は神社の数よりもひとまわり少ないものとなっている（明治初期には神社数約一八万余に対し自治体数約七万、市制・町村制以降の明治末期には神社数約一一万に対し自治体数約一万六〇〇〇）という事実からすれば、神社を中心とする地域コミュニティが順次集約・統合されることとパラレルに進行したのが行政上の自治体の成立である

という認識が、大方の理解として可能であるだろう。やがて第二次大戦後のいわゆる「昭和の大合併」（一九五三―六一年）で自治体の数は約一万（九八六八）から約三〇〇〇（三四七二）に、そして「平成の大合併」でさらに二〇〇〇弱（二〇〇九年度末時点で一七六〇）に減少するが、これらは農村から都市への人口大移動と平行して進んだ事態であり、少なくとも都市圏に関する限り、神社や「鎮守の森」と地域コミュニティの関連といったものはほとんど消滅していったことになる。

†地域コミュニティづくりにおけるハードルと展望

さて、地域コミュニティづくりと一口に言ってもそれは現実には様々な意味で困難を伴

表2-2　地域コミュニティづくりにおける課題・ハードル

1.	地域コミュニティへの人々の関心が低い	438
2.	現役世代は会社（職場）への帰属意識が高く地域との関わりがうすい	304
3.	若者の流出や少子化等のため人口が減少している	297
4.	いわゆる「新住民」と「旧住民」の間の距離が大きい	208
5.	地域の人々が気軽に集まれるような場所が少ない	151
6.	地域経済が衰退し雇用機会が少ない	110

（注）以下、7. 人の出入り（流動性）が大きくコミュニティへの帰属意識がうすい 84、8. 郊外大型店舗等により中心部が空洞化している 77、9. 地域が自動車中心となり道路による地域の分断が見られる 20、10. 土地の所有・権利関係が錯綜している 5。

う課題であるが、そうしたコミュニティづくりにおける「課題・ハードル」については、表2-2のような結果が示された。

全体的には、比較的「意識」や「関心」などソフト面を挙げる回答が多いといえる。しかしこの設問については、以下に見るように地域による多様性が大きい。

すなわち、図2-3に示されているように、小規模町村の場合、「若者の流出や少子化等のため人口が減少している」を挙げるものが群を抜いて多い（地域経済・雇用衰退も多）。他方、大都市の場合は「現役世代は会社（職場）への帰属意識が高く地域との関わりがうすい」や新住民・旧住民の距離など、意識ないしソフト面に関する課題が大きくなっている。これはある意味で予想される結果であるが、少なくとも、「（地域）コミュニティ政策」と一口に言っても、その課題の中身は場所ないし土地の性格によって大きく異なる、という点は出発点に

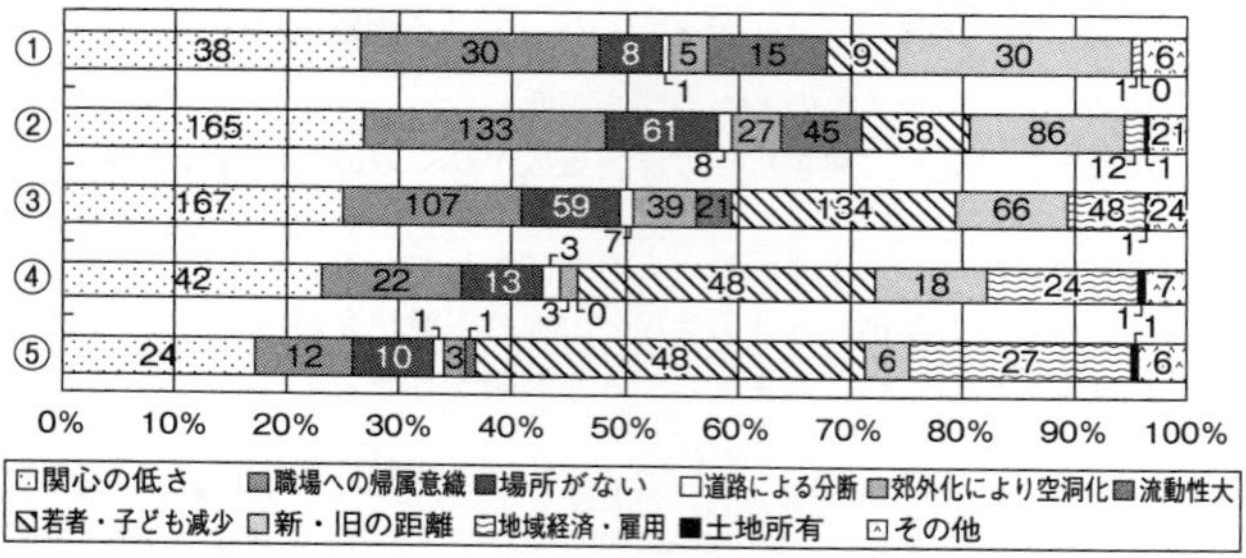

※①人口30万人以上　②人口5万人以上30万人未満　③人口1万人以上5万人未満　④人口5000人以上1万人未満　⑤人口5000人未満

図2-3　地域コミュニティづくりにおける課題・ハードル（人口規模別）

おいて十分認識する必要があると思われる。

一方、「地域コミュニティづくりの主体」に関する問いでは、「自治会・町内会」と「住民一般」が群を抜いて多く、ほぼ並ぶという結果となった。次いでやや少なくなるが「行政」、「NPO」の順で、後は学校、民間企業等と続く。ただし、この点についても地域の性格によってかなりの相違が見られる。すなわち、「地域コミュニティづくりの主体として今後特に重要なもの」として、大都市では「NPO」と答えたところが多く、たとえば人口三〇万人以上の都市では、NPOは自治会・町内会及び住民一般と並んでもっとも重要性が高い主体となっていた。

先に見たように、「コミュニティづくりにおける課題やハードル」に関して、ハード面（空間的整備）もさることながら、地域コミュニティへの関心や帰属意識、新住民・旧住民の距離など、意識面をあげる回答が比較的多かった（特に大都市圏）。また、「コミュニティ政策ないしコミュニティ再生において特に重要なこと」という問いで上位を占めたのは、「①地域に根ざしたキーパーソンの存在、②人々の地域コミュニティへの帰属意識、③挨拶など人と人とのコミュニケーションやつながり」であり、これらはいずれも「人」あるいは意識やソフト面に関するものである。

このことは、プロローグで論じたような「コミュニティ」というものの性格からすればある意味で当然のことであるが、これまでのコミュニティ政策や地域再生の議論において必ずしも十分に注意が向けられなかったり、あるいは（その表裏のものとして）施設（ハコモノ）整備、道路などのインフラを含むハード面の空間的整備が中心となる中で、背景に退いていた点であることは確かである。

†「福祉地理学」——空間化の時代におけるミッション型コミュニティと地域コミュニティの融合

一方、「（地域）コミュニティ」と一口に言っても、土地の特性によってその課題は大きく異なることがアンケート調査からも示唆された。考えてみれば、たとえば「高齢者ケア」のあり方ということを見ても、郊外のニュータウンと、人間関係の濃密な旧市街（下町）とではそのあり方は大きく異なるものであるだろう。これまで「福祉」というものは、どちらかというと普遍的かつ〝場所を超越した〟概念としてとらえられる傾向が強かったが、今後は「福祉」にいわば地理的・空間的な視点を導入していくことが重要ではないだろうか。

こうした問題意識をベースとした新たな探求として、やや奇妙な表現に聞こえるかもしれないが、**「福祉地理学」**とも呼ぶべき視座ないしパラダイムの確立が重要になっていると私は考える。また、このように考えていくと、本書の中でこれから論じていくことになるが、福祉政策と都市政策、まちづくり、環境政策、土地政策等との連携や統合の重要性が、新しい意味合いをもって浮かび上がってくることになる。

「福祉地理学」という発想と関連するが、こうした視点が重要となる基本的な時代背景として、いわば〝「時間化」から「空間化」の時代へ〟とでも表現できるような、次のような構造変化が指摘できると思われる。

すなわち、これまでの絶え間ない経済成長（市場化・産業化）の時代においては、市場経済の浸透や産業化の展開という強固なベクトルの中で、〝世界がすべてひとつの方向に向かっている〟という了解が基調となり、そうした時間座標の優位のもとに、各地域は〝進んでいる←→遅れている〟といった一元的な座標軸の上に位置づけられてきた。このような時代状況においては、「福祉」概念もそうした座標軸において一元的・単線的なものとしてとらえられることになる。

これに対し、私たちが現在迎えつつある成熟化・定常化の時代においては、そうした「成長」を尺度とする座標軸そのものが背景に退いていくとともに、それと平行して各地域の地理的・風土的多様性ということが再認識され、新しい意味や価値をもって浮かび上がってくる。

こうした中で、いわば〝「福祉」を場所・土地に返す〟こと、つまり福祉というものを、その土地の特性（風土的特性や歴史性を含む）や、人と人との関係性の質、コミュニティのあり方、ハード面を含む都市空間のあり方（たとえば商店街や学校、神社・お寺等、先述の「コミュニティの中心」の分布やポテンシャルなど）と一体のものとしてとらえ直していくことが重要となっている。

†「空間化するケア」

このことは、「ケア」というテーマにそくして見るならば、いわば「空間化するケア」という表現で表すこともできるだろう。

すなわち、これまで「ケア」というものは、誰かが誰かをケアするという具合に、つまり「ケアする者―ケアされる者」という〝一対一〟の関係をモデルに考えられることが多かった。しかしながら、ケアということを考えまた実践していくにあたっては、そうした一対一モデルでは限界があり、特にケアの最終目標がその当事者が地域や社会の中で自立していくことにあるとすれば、コミュニティという視点を抜きに考えることはできないし、またそもそも人間の心身の状況というものは、その人のコミュニティとの関わりと深い関係にある（この話題は第6章であらためて主題化する予定である）。

そして、そのようにコミュニティとの関連でケアをとらえていくならば、その場合のコミュニティというものは、決して〝真空〟に存在するような、抽象的で一枚岩的な存在ではない。むしろそれは、上記のようなその場所や土地の特性——その中にはその場所の歴史的な履歴も含まれる——、かつそこでの様々な社会資源の配置や交通手段、まちのあり方等々を含めた「ハード面」とも不可分のものである。このようにケアは、自ずとコミュニティに行き着き、また空間的・地理的な視点と結びつかざるをえない。それが「空間化するケア」（あるいはケアの空間化）ということの基本的な意味である。

一方、先ほどの「福祉地理学」に関する議論に戻ると、NPOその他のミッション型コミュニティも、成熟化・定常化ないしポスト産業化の時代においては、その多くは福祉・環境・まちづくり等といった、自ずと「地域」と深く関わる政策領域を活動内容とするものとなっており、つまり「空間化」という特徴はここでもあてはまる。したがって地域の空間を舞台としながら、そうしたミッション型（テーマ型）コミュニティと、自治会・町内会等を含む（伝統に根ざした）地域コミュニティとのクロス・オーバーないし融合ということが大きな課題となる。プロローグにおいて、経済システムの進化に伴う「地域からの〝離陸〟と〝着陸〟」という視点について述べたが、いま論じている点は、（定常型社会という）地域への〝着陸〟の時代において必然的に生ずる現象あるいは課題としてとらえることができるだろう。

†「コミュニティの中心」の進化

「コミュニティの中心」というテーマについてさらに考えてみよう。図2-4は、「コミュニティの中心」としての性格をもつ主要な場所を、経済構造の変化との関わりの中で概括してみたものである。

ごく大まかに説明すると、まず市場化・産業化以前の伝統的社会Aにおいては、「コミュニティの中心」として特に重要であったのは、先にも少しふれたようにヨーロッパ等の場合はキリスト教会、日本の場合は神社・お寺といった宗教関連施設であった。ただし、この場合忘れてはいけないのは、宗教関連とはいっても狭い意味の宗教に限られるものではなく、（教会学校や寺子屋などのように）それは「教育」の機能を重要な要素として担い、

〔A. 伝統社会〕 ⇒	〔B. 市場化・産業化〕⇒	〔C. ポスト産業化〜定常化〕
《宗教・教育・経済》 [神社・お寺]	《教育》 [学校]	《福祉》 [福祉・医療関連施設]
	《経済》 [商店街] （→空洞化（郊外化））	《環境》 [自然関係]
		《スピリチュアリティ》 神社・お寺 癒し空間
	《文化（遊び）》 劇場・美術館等 スポーツ関連施設 盛り場 温泉	《研究（創造性）》 [大学など]
【土地（人口が集積する場所）の性格】		
農　村 漁　村　等	商業都市 企業都市（cf. 企業城下町） 工業都市 鉱業都市（炭鉱など） （&居住地としての郊外）	生活都市 （様々なコンセプト： サステイナブル・シティ 創造都市 健康都市 コンパクト・シティ 福祉都市？　等々）

図 2-4　経済システムの進化と「コミュニティの中心」の変遷

（注1）《　》で示しているのはその施設・場所のもつ主な機能。

（注2）[　] で囲っているのはここで重視している「コミュニティの中心」としての場所（アンケート調査とも関連）

また、市場が神社・お寺の周辺で開かれたように、「経済」の機能に関しても重要な場所であったことである。言い換えれば、「宗教・経済・教育」という、人間の社会における主要な機能が渾然一体となった形で担われていたのが神社・お寺や教会といった場所だったといえる。ちなみに、エリアーデ、ホイジンガ、カイヨワといった人々の議論の系譜を踏まえて人間にとっての重要な要素を「聖―俗（仕事）―遊（文化）」

の三者としてとらえれば、いま述べた「宗教・経済・教育」はこれらにそのまま対応しているととらえられるだろう（「聖─俗─遊」の関係については河合［一九九四］参照）。

続く都市化（市場化）・産業化の時代（図のB）においては、市場経済の領域が独立していく中で、また産業化ということが国民国家という枠組みの中で推進されていく中で、「経済」や「教育」の領域が（先ほど指摘した「宗教」との渾然一体性から）いわば〝独立〟していく。こうした文脈において、「商店街」や、国家による公的な制度としての「学校」が、コミュニティの中心として重要な意味をもつ場所として大きく浮上することになる。とりわけ「学校」（特に初等中等教育の場としての小学校や中学校）は、明治初期の〝国民皆学〟の理念や「学区」を通じた地域コミュニティの再編・統合にも示されているように、「地域コミュニティの中心」そして「地域コミュニティの単位」として主要な役割を担っていった。一方、「文化・遊び」の機能に関しては、図2-4にも示しているように劇場・美術館等、スポーツ関連施設、盛り場等といったものが、都市において人々が集まる場所として大きな意味をもつようになっていった。

†福祉・環境・スピリチュアリティそして大学──ポスト産業化の時代における「コミュニティの中心」

そして、ポスト産業化ひいては私たちが迎えつつある定常化の時代（図のC）においては、以上のような宗教、経済、教育といった機能に加え、「福祉」や「環境」に関する領域が、人々の主要な関心分野として新たに浮上していくことになる。そこでは、市町村アンケート調査の関連でも見たように、高齢者ケア、子育て支援など福祉・医療関連施設や公園、農園等を含む自然関連の場所が、「コミュニティの中心」として大きな意味をもつに至る。

併せて、かつて神社・お寺や教会が担っていた「宗教」的な機能は、特定の信仰・教義というよりはより一般化された形での関心に変容し、スピリチュアリティ（ここでは「生と死を超えた次元」に関するテーマへの関心といった意味）等への志向となって展開し、この結果、たとえば（高度成長期においては人々の主要な関心の外に置かれていた）神社・お寺などの空間が、新たにケアや環境学習等の舞台として再発見されていく（こうした事例について広井［二〇〇五］参照）。なお、神社は「鎮守の森」とされるように「自然」という側面も併せてもっていることに留意したい。

また、ポスト産業化ないし定常化の時代においては、知的な探求あるいは知識や文化の創造ということが人々にとっての主要な関心の柱のひとつとなり、「大学」のもつ意義が新たな重要性を帯びるようになる。しかも、こうした時代においては（先ほど「福祉地理学」ないし「空間化の時代」という話題にそくして述べたように）、その土地の地理的特性や環境、歴史性等を踏まえたローカルなレベルでの知や、福祉、環境、まちづくり等に関するＮＰＯ等の活動が活発になっていくので、それらと呼応しながら「コミュニティの中心としての大学」という視点が大きな意味をもつに至る。

こうした点に関し、都市経済学者のリチャード・フロリダは著書『クリエイティブ資本論』の中で、文化やファッション、情報や教育・研究等を含めて今後は何らかの意味での〝創造性〟を伴った分野が資本主義の駆動因となり、かつそうした分野が集積した地域が人々を吸引する場所となっていくという議論を展開しているが（フロリダ〔二〇〇八〕）、この中で彼は「クリエイティブなコミュニティの中心としての大学」という点を強調している。日本ではこうした展開はまだきわめて不十分だが、それでも近年、大学と近隣の商店街等が様々な形でコラボレーションしたり、あるいは自治体が地域活性化の契機として大学を誘致したりする（最近では足立区、中野区、葛飾区など）ことが増えている。またや異なるパターンとしては、「シブヤ大学」といった、狭義の大学ではないが、街全体（この場合は渋谷）をひとつの〝大学〟ないしキャンパスに見立てて様々な講師を招いた講座や教室を開催し、それをコミュニティにおける人々の学びや出会いの場として活用する、といった試みも進んでいる。大学という場を「コミュニティの中心」ないし拠点とした、ＮＰＯ、地域住民等の連携や世代間交流ということが新しい意義を担っていくことになるのである。

なお、図2-4に関して補足すれば、図の下のところに、それぞれの時代において「人口が集積する場所」の基本的性格を示している。すなわち「A　伝統的社会」においては「農村」等、「B　市場化・産業化」の時代においては「商業都市、企業都市、工業都市」等、「C　ポスト産業化～定常化」の時代においては（ひとまずの呼称として）「生活都市」というように。この場合、最後の「生活都市」に関しては、様々な分野において、これからの時代における異なるコンセプトの「都市」像が提案され議論されてきた。すなわち、

- 環境政策・都市政策の分野：「サステイナブル・シティ（sustainable city）」
- 都市政策・文化政策の分野：「創造都市（creative city）」
- 医療政策の分野：「健康都市（health city）」
- 都市政策・交通政策の分野：「コンパクト・シティ（compact city）」

等である（岡部［二〇〇三］、海道［二〇〇一］、佐々木［二〇〇一］等参照。私としてはこれらに加えて「福祉都市 welfare city」ともいうべきコンセプトや政策展開が重要と考えており、これは先に述べた「福祉地理学」という視点とも呼応するものだが、これについては第4章におい

て議論を展開したい）。これらはそれぞれの分野における固有の意味をもっており、その中での深化や展開が重要であることはもちろんであるが、今後は、以上のような「コミュニティの中心」の歴史的変容といった視点とも融合させながら、個別分野の視点を超えた、より包括的な都市像あるいはコミュニティ像を構想していくことが重要になっていると思われる。

†〝外部への窓〟としての「コミュニティの中心」

ところでプロローグにおいて、「コミュニティ」は常にその「外部」をもつ、あるいは「コミュニティ」という存在はその成立の起源から本来的に〝外部〟に対して「開いた」性格のものであるという議論を行った。それとの関連で、ここでやや大胆な論を展開することが許されるならば、考えてみれば、本章で議論しているような「コミュニティの中心」として歴史上重要な役割を担ってきた場所は、実はそうした意味での「外部」との接点、あるいはコミュニティにとっての「外に開かれた〝窓〟」ともいうべき場所だったといえるのではないだろうか。

すなわち、

(1)「神社・お寺」などの宗教施設は、〝彼岸あるいは異世界（あちらの世界）〟（ないし「コミュニティ」の成員としての死者の世界）との接点であり、

(2)「学校」は、〝新しい知識〟という「外の世界」との接点であり、

(3)「商店街」（あるいは市場）は、（市場というものが複数の共同体間の交換ないし交易という点に起源をもつように）〝他の共同体〟という「外の世界」との接点であり、

(4)「自然関係」は、文字通り〝自然〟という人間にとっての「外の世界」との接点であり、

(5)「福祉・医療関連施設」は、「病い」や「障害」という、ある種の〝非日常性〟（しかし人間にとっては避けて通れないもの）という意味での「外部」との接点である、

という具合に。

逆にいえば、こうした「外部」との接点（あるいは外部に開かれた〝窓〟）としての性格をもつ場所が「コミュニティの中心」としての役割を果たしてきたという事実自体が、「コミュニティ」というものが本来的に外部に開かれた存在であるということを示している、といえるのではないだろうか。同時に、そうした内部と外部との動的な相互作用が、コミュニティそして人間の「創造性」ということと重なっているのではないだろうか。

象徴的にいえば、コミュニティはその「中心」において外部へと〝反転〟するのである。

第3章 ローカルからの出発――グローバル化とコミュニティ

前章で「コミュニティの中心」という視点と並んで「コミュニティの単位」というテーマについて言及した。ここではこの「コミュニティの単位」という観点を手がかりとしながら、さらに視野を広げて「ローカルからグローバルへ」という全体的な構造の中でコミュニティがもつ意味について考えてみよう。

この場合、議論の進め方として、ローカル―ナショナル―グローバルという空間的な座標軸と、「公―共―私」という三つの原理をめぐる構造との関わりを、その歴史的な変化に注目しながら見てみたい。

†「公―共―私」をめぐる構造の歴史的変容

まず、ここでいう「公―共―私」とは、

表 3-1　近代システム以降におけるローカル—ナショナル—グローバルのガバナンス構造の変容

	地域（ローカル）	国家（ナショナル）	地球（グローバル）
「共」の原理（互酬性）〜コミュニティ	地域コミュニティ	国家というコミュニティ（"大きな共同体"としての国家）	「地球共同体」ないし"グローバル・ビレッジ"
「公」の原理（再分配）〜政府	地方政府	中央政府（"公共性の担い手"としての国家）	世界政府 cf. グローバル福祉国家
「私」の原理（交換）〜市場	地域経済	国内市場ないし「国民経済 national economy」	世界市場

第1ステップ：……「近代的」モデルにおける本来の主要要素
第2ステップ：……現実の主要要素＝国家（〜ナショナリズム）←産業化
第3ステップ：世界市場への収斂とその支配←金融化・情報化
今後：各レベルにおける「公－共－私」のバランス、及びローカルからの出発←定常化（ないしポスト産業化・ポスト金融化）

「公」……政府（公共性の主要な担い手のひとつとしての）
「共」……コミュニティ
「私」……市場

ということであり、経済的な機能から見るとそれぞれは「再分配」「互酬性」「交換」という関係性に対応している（ポランニー［一九七五］）。また、（第5章であらためて論じるように）現在の状況においては「公共性」の担い手は（NPOなどを含む）個人や企業にも広がり、かつ「公—共—私」という三者そのものが相互にクロス・オーバーしているのだが、ここではいったんそれらを区分しつつ吟味してみよう。

さて、ここでの議論の大きな枠組みとして前ページの表3-1をご覧いただきたい。表3-1は、「ローカル―ナショナル―グローバル」という各レベルと、いま述べている「公―共―私」の三者を交差させマトリクスとして描いたものだ。ここでまず考えてみたいのは、これらの構造が、近代以降の社会において、どのように変容してきたかという全体的な把握についてである。

きわめて概括的な理解を行うとするならば、近代以前の社会においては、人間の活動の大半は概ね「ローカル」な領域に限定されており、しかもそこにおいて「公―共―私」の三者は、農村共同体などの「共」的関係を基盤としつつ、半ば未分化な形で渾然一体的に存在していたといえるだろう。

ところが、近代社会以降、ローカルな地域的境界を越えた商業活動が飛躍的に拡大し、市場経済の領域が大きく展開していく中で、こうした「公―共―私」の関係構造が根本から変容していく。すなわち、近代的なシステムにおいて前提となった構図は、

- ・「共」的な原理（コミュニティ）→ローカル
- ・「公」的な原理（政府）→ナショナル
- ・「私」的な原理（市場）→グローバル

といういわば基本的な振り分けであったといえるだろう。つまり、互酬性が基調をなす「共」的関係が主に展開するのはローカルな地域コミュニティ（家族を含む）のレベルであり、他方、「公」的な原理あるいは「政府」が主たる役割を果たすのは「ナショナル」（ないし国家）というレベルであり、さらに、交換を基本原理とする「市場」は、本来的に〝国境（あるいは境界 boundary）をもたない〟性格のものであるから、自ずと「世界市場」に行き着く、という基本的な構図である。つまりここにおいて、「公―共―私」という、社会的な関係における三つの原理（あるいは主体の構造）と、ローカル―ナショナル―グローバルという、それ自体としては空間的な性格に由来する三つのレベルとの間で、ある種の構造的な対応関係が作られたことになる。

ただしこの点は、一歩距離を置いて見ると、次のような意味である種の必然的な対応であるともいえるだろう。すなわち、「互酬性」がベースの「共」的関係というものは、その性格からして一定の〝顔の見える関係〟、つまり互いを知り合った者どうしの一定以上の継続的な関係性を前提とするものであるから、それは自ずと比較的小規模で「ローカル」な空間が一次的な舞台となる。これに対し、「政府」の担う「再分配」的な機能というものは、そうしたローカル・レベルの地域共同体が並立的に複数存在することを前提として、それらを一レベル高い次元において調整するものなので、空間的にひと回り広い（ただし世界市場よりは狭い）いわば中間的な空間領域をカバーするものとなる。そして最後の「市場」については、その機能としての「交換」というものは、互酬性とは異なって一回ごとの取引で完結するものであり、つまり時間的な継続性や相互性ということを含まないので、そうであるがゆえにいわば無限に〝開かれた〟性格をもち、（共同体の）あらゆる境界を越えて文字通り「グローバル」に広がっていくものであって、原理としては自ずと「世界市場」に至るのである。

†工業化時代における「国家」への収斂

ところで、先ほど近代的なシステムにおいて前提となった構図は、「『共』的な原理（コミュニティ）→ローカル、『公』的な原理（政府）→ナショナル、『私』的な原理（市場）→グローバル」という基本的な振り分けであったと述べたが、しかしその後の現実の歴史の展開においては、そうした構図のとおり事態は展開しなかった。すなわち、やがて一九世紀以降を中心に生起した産業化（ないし工業化）の大きなうねりの中で生じたのは、「『共』的な原理（コミュニティ）も、『公』的な原理（政府）も、『私』的な原理（市場）も、すべてがナショナル・レベル＝国家に集約される」という事態だったのである。

もう少し説明すると、まず「共」的な原理（コミュニティ）については、端的にいえば「〝大きな共同体〟としての国家」という発想あるいは観念が強固なものとなり、つまりコミュニティというものの主要な〝単位〟が、ローカルな共同体を超えてむしろナショナルな次元に集約されていった。言い換えれば、プロローグから述べているように、もともとコミュニティというのはその一面として〝自己を中心とする同心円〟という性格をもっているのであるが、そうした同心円が、ローカルなレベルから拡張されてナショナルなレベルに移行していったのである（なぜそうなったかの理由はすぐ後で考えたい）。

一方、「公」的な原理（再分配の担い手としての政府）がナショナル・レベルの中心となるのは近代システムの原理そのままである。さらに、「私」的な原理としての「市場」についても、（先ほど論じたようなその本来の姿としての）「世界市場」は部分的にしか成立せず、むしろ「国内市場」あるいは「国民経済（national economy）」という意識あるいは制度的実体が前面に出ることになり、国家がそれぞれの領域内の市場経済を様々な形でコントロールすることになった（外国との貿易の管理を含めて）。これは本来〝国境（ないし境界）〟を有しないはずの市場が、国家という主体によって、共同体（国家というコミュニティ）ごとに〝区切られた〟と見ることもできる。

†経済構造の変化と「最適な空間的単位」の変容

いずれにしても、以上のようにして、「共」的な原理（コミュニティ）、「公」的な原理（政府）、「私」的な原理（市場）のいずれもがナショナル・レベル（＝国家）に集約されていったのが、産業化の時代以降の展開だった。なぜそのようになったのか。これには（ベネディクト・アンダーソンの〝想像の共同体〟〔としての国家〕論なども含めて）経済的・政治的・文化的等々の各方面にわたる無数の要因が働いていたと言うべきだろうが、意外に十分認識されていない、次のような要因があったと思われる。

それは、この時代の構造を基本において規定していた「産業化（ないし工業化）」という現象のいわば〝空間的な広がり（ないし空間的単位）〟が、それまでの「ローカル」な地域単位よりは大きく、しかしグローバル（地球）よりは狭い、という性格のものだったという点である。これは取り立てて難しいことを言っているものではなく、むしろ単純な事実関係に関するものだ。たとえば農業であれば、大方は比較的小規模のローカルな地域単位で完結するものだが、産業化（工業化）以降の段階を考えると、鉄道の整備、（高速）道路網の敷設、工場や発電所等の配置等々、その多くはそれまでのローカルな単位を越えた計画や投資を必要とするものであり、そのいわば「最適な空間的単位（あるいは主体）」とし

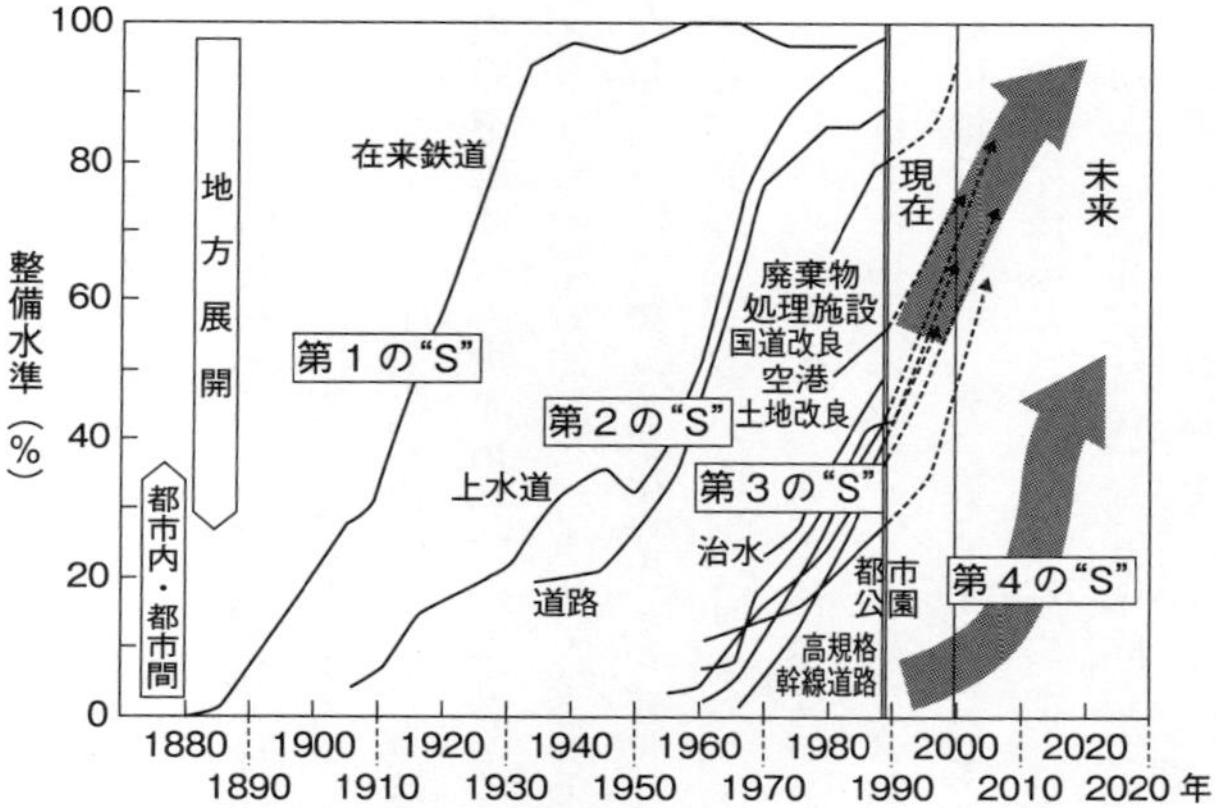

図3-1　社会資本整備のS字カーブ

（出所）通産省・中期産業経済展望研究会『創造的革新の時代』1993年
（引用者注）図のうちの第1〜第3の「S字カーブ」に示される社会資本は、「ナショナル」レベルでの計画や整備が行われる要請が大きいものが多。一方、「第4のS」があるとすればそれは福祉・医療・環境・文化関連など、むしろ「ローカル」レベルに根ざした政策対応が重要となるものだろう。

て浮かび上がるのはナショナル・レベル（の政府）となるだろう（各時代における様々な社会的インフラの整備状況を示した図3-1を参照）。逆に、それらは（金融市場のように）グローバルというほどの空間的広がりをもつものではない。

いずれにしても、以上のような「産業化」という現象のもつ空間的性格（ないし空間的な射程）が、この時代における「『公・共・私』のいずれもがナショナル・レベル＝国家に集約される」という状況を生んだ基本的な要因のひとつとして指摘できるのではないだろうか。

†金融化・情報化とその先

そして時代はやがて「金融化＝情報化」の時代へと入っていく（産業化社会・後期以降）。ここにおいては、ナショナル・レベルという、なお一定の地域的・空間的範囲にとどまっていた産業化の時代からさらに根本的な変容が生じ、文字通りあらゆる国境ないし境界を越えた「世界市場」が成立していく。これは（先ほどから議論しているように）市場というものが必然的に行き着く姿であると同時に、実質的に見ると、市場経済の「最適な空間的単位」が（産業化時代から変化して）グローバル・レベルに移ったということを意味する。他方、「共」の原理（コミュニティ）や「公」の原理（政府）に関しては、グローバル・レベルでのそうした実体はなおきわめて脆弱である。これらの帰結として、「すべてが『世界市場』に収斂し、それが支配的な存在となる」という状況が現在進みつつある事態に他ならない（先の表3-1を再び参照）。

では今後はどうするべきなのか。結論を端的にいえば、これからの時代（＝ポスト産業化なしい定常化の時代）の基本的な方向として、

(1) 各レベルにおける「公―共―私」の分立とバランス
(2) ローカル・レベルからの出発

という二点が重要となると考えられるだろう。このうち(1)は、「世界市場」（つまり「グローバル」と「市場」の組み合わせ）に収束しつつある現在のような状況から、各レベルつまりローカル―ナショナル―グローバルというレベルの各々において、「共（コミュニティ）―公（政府）―私（市場）」という三者の分立とバランスを確立していくというものである。(2)は、そうした点を踏まえた上で、各レベル相互の関係としては、あくまでローカル・レベルから出発し、その基盤の上にナショナル、（リージョナル、）グローバルといったレベルでの政策対応やガバナンス構造を積み上げていく、ということである。

なぜそうなのか。根拠は次の点にある。すなわち、ポスト産業化そしてその先に展開しつつある定常化の時代においては、いわば「時間の消費」と呼びうるような、コミュニティや自然等に関する、現在充足的な志向をもった人々の欲求が新たに大きく展開し、（前章で「コミュニティの中心」に関しても論じたように）福祉、環境、医療、文化、スピリチュアリティ等に関する領域が発展していくことになるが、これらはその内容からしてローカルなコミュニティに基盤をおく性格のものであり、（産業化の時代におけるナショナル・

レベルのインフラ整備や、金融化の時代の世界市場での金融取引等と異なり）その「最適な空間的単位」は、他でもなくローカルなレベルにあると考えられるからである。

†ローカルからグローバルへの役割分担

ところで以上の議論とも関連するが、ここ二〇〇～三〇〇年前後の市場化や産業化のプロセスにおいて、生産（あるいは技術革新）や消費構造において基軸をなしてきたコンセプトは、大きく「物質」→「エネルギー」→「情報」→「時間」という形で変遷してきたと概ねとらえられるだろう。

すなわち、産業化以前の市場経済において様々な「物質」（ないし物品）の流通が活発化した段階に始まり、一九世紀を中心に産業化（ないし工業化）を通じて石油・電力等の「エネルギー」の生産・消費が本格化し、さらに二〇世紀半ば前後からは「情報の消費」が展開していった（ここでの「情報の消費」とは、ITやインターネット等といったものに限らず、たとえば商品を買うときにそのデザインやブランドに着目して購入するといったより広義の内容を指している）。これらは経済を飛躍的に拡大・成長させると同時に、別の角度から見ると、前の段階の生産・消費を次々に「手段化」する形でシステムの展開が図られ、同時にまた、ある地域にローカルに局限された経済活動が（資源の調達においてもまた商品の

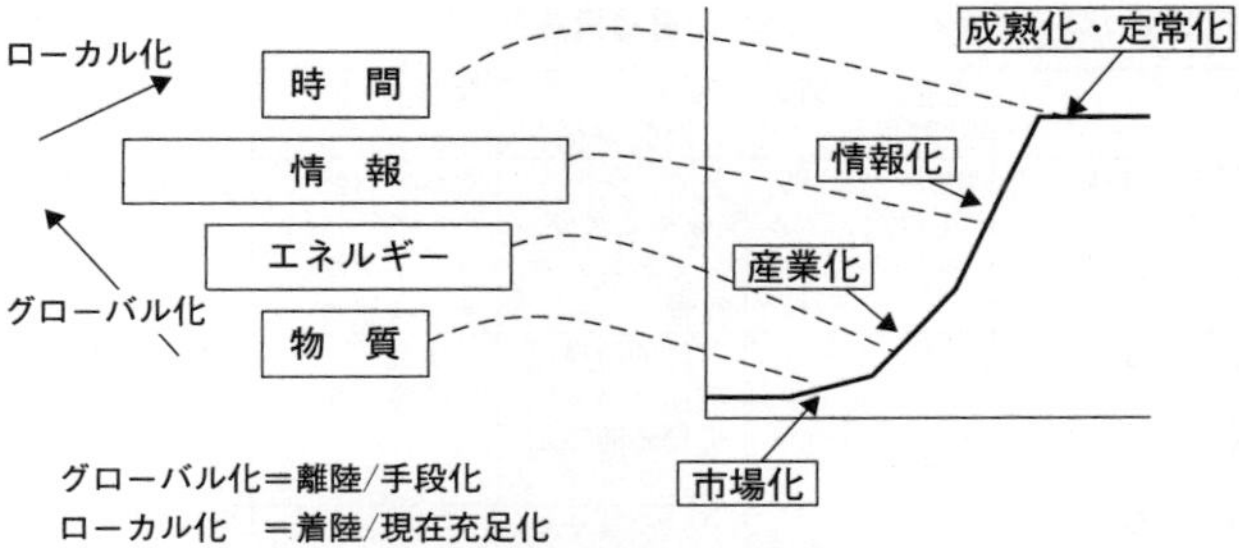

図 3-2　経済システムの進化と定常型社会

販売先としても）よりグローバルな方向に空間的に広がっていくプロセス（＝世界市場化）でもあった（図3-2）。

ところが、こうした経済システムの進化の帰結として、人々の需要は（少なくとも市場経済で測定できるようなものに関しては）ほとんど飽和しつつあり、すでに述べてきた「時間の消費」とも呼びうる方向や、さらには「市場経済を超える領域」が展開しようとしている。このことは、人々の欲求や需要の方向が、上記のような限りない手段化・効率化から、むしろ現在充足的（コンサマトリー）な方向あるいはローカルな方向へと転化しつつあるということでもある。

このような歴史的展開や構造を踏まえれば、今後の世界ないし地球における経済活動は、次のような「生産／消費の重層的な自立と分業」を基調としたものであるべきではないだろうか（広井［二〇〇九］参照）。すなわち、

表3-2　ローカル～グローバルの重層構造と主要領域での役割分担・課題

	生産／消費の役割分担	福祉（社会保障）	環境	経済
ローカル	物質　&時間（&自然エネルギー）	ケア（福祉、医療、コミュニティ、教育）	食料・自然エネルギー自給 リサイクル 地方環境税	地域内経済循環
ナショナル	エネルギー	基礎的所得保障など再分配 労働時間規制など	環境税 各種環境規制	財政・金融政策
リージョナル（ex. アジア）		リージョナルレベルでの再分配、社会保障国際協力	リージョナル環境政策・環境協力	リージョナル経済政策 ex. 共通通貨、共同基金
グローバル	情報	グローバル社会政策 ex. グローバル・タックスなど再分配～グローバル福祉国家	グローバル環境政策 ex. 国際環境税	グローバル経済政策 ex. 金融規制、トービン税、国際産業政策

(1)　物質的生産、特に食料生産及び「ケア」はできる限りローカルな地域単位で。……ローカル～ナショナル

(2)　工業製品やエネルギーについてはより広範囲の地域単位で。……ナショナル～リージョナル（ただし自然エネルギー〔風力発電など〕についてはできる限りローカルに。）

(3)　情報の生産／消費ないし流通についてはもっとも広範囲に。……グローバル

(4)　時間の消費（コミュニティや自然等に関わる欲求ないし市場経済を超える活動）はローカルに。

以上のような「自立と分業」の構造を踏

まえて、各レベルでの主要な領域での役割分担の全体像を大まかにスケッチしたのが表3-2である。

†時間的な解決から空間的な解決へ——再び「福祉地理学」について

ローカルからグローバルへの全体構造について考えてきた。そして前章でも述べたようにこれからの時代は「空間」が優位に立つ時代であり、また先ほど指摘したように、そこでは「ローカル・レベルからの出発」ということが基本的なベクトルとなることを確認した。

そうした点を踏まえた上で、前章で提起した「福祉地理学」という視点をさらに展開してみたい。ここで重要となるのは「時間的な解決から空間的な解決へ」という視点である。

まず、表3-3をご覧いただきたい。これは、さしあたり日本における様々な地域を「A　大都市型」「B　地方都市型」「C　農村地域型」に大まかに分けた上で、それぞれの地域の「問題・課題」と「資源・魅力」を概括したものである。

簡潔に内容を確認すると、まず大都市圏においては、表にも示しているように、格差、コミュニティの不在や孤独、劣悪な景観、「自然」の不在、過労、ストレス、長い（詰め込みの）通勤時間・距離、住環境の悪さ等々、〝ありとあらゆる〟と言えるような様々な

表 3-3　異なる地域における問題・課題と「資源」・“魅力”

	問題・課題	「資源」・“魅力”
A．大都市型 （中心部－郊外）	格差、社会的排除、失業 （←生産過剰） コミュニティの不在、孤独 劣悪な景観、自然の不在 過労、ストレス 長い通勤距離（←スプロール化）　劣悪な住環境	経済活力 文化やファッション 情報、知識
B．地方都市型 （人口数万～数十万程度）	中心部空洞化 製造業（工業）の衰退 景観破壊や虫食い的開発	ゆとりある空間や働き方 比較的広い住空間 一定のコミュニティ的紐帯 自然との近さ
C．農村地域型	人口減少（～限界集落） 若者流出、高齢化 雇用減少、経済衰退	自然 食料等の資源 ゆっくりと流れる時間

問題が存在しており、しかもまた、「現代社会」の課題として語られるものの大半は、概ねここに属するものである。

ところが、そうであるにもかかわらず、人々の多くはこうした大都市圏にやって来る。それればかりか、そうした場所にずっと住んでいたりする。なぜか。それは、そうした無数の「問題・課題」の存在にもかかわらず、それをなお上回るような何らかの「資源」や〝魅力〟がそこに存在しているからである。そうした資源や魅力は何かという点は、ある意味で言わずもがなであり、それは経済活力（「職」ということを含む）、文化やファッション、情報、知識等々といった、いずれも〝刺激〟に満ちたものたちである。しかし、少し距離を置いて考えてみると、これらの「資源、魅力」が、先ほど挙げた多くの問題・課題を本当に上回るものであるかどうかは、実ははっきりしないというのが実際のところだろう。ともかくも多くの人々は、ある時期以降〝何かに動かされる〟かのようにそうした「大都市圏」にやって来ては暮らしてきた。

一方、Bの「地方都市型（人口数万〜数十万程度）」の地域はというと、たしかに様々な問題を抱えている。それはたとえば、表3-3にも示しているように、中心部の空洞化（シャッター通りなど）、製造業の衰退、一部の開発に伴って進行中の景観破壊や虫食い的開発等といったものである。しかし同時に明らかなことだが、こうした地域は先ほどの大都市圏にはない確かな「資源、魅力」をもっている。まず何といってもゆとりある空間や働き方。比較的広い住空間（持家率も東京などよりはるかに高い）、一定のコミュニティ的なつながり、そして「自然」の近さ。

やや脱線すると、前章でもふれたように、私の郷里は地方都市（岡山市）で、昨年から親の介護等の関係で帰省する頻度が以前に比べて高くなっているのだが、まさに以上のようなことを帰省するたびにあらためて感じている。実家は先述のように中心市街地のほぼシャッター通り化している商店街の小売店だが、そうした負の面もさることながら、どちらかというとより強く感じるのは、先ほど「資源、魅力」として挙げた事柄のほうである。

さらにCの「農村地域型」はどうか。問題・課題のほうは、ある意味ではBのものがより顕著になって、人口減少（～限界集落）、若者流出、高齢化、雇用減少、経済衰退等々といったものであり（前章の市町村アンケート調査を思い出させる）、しかし同時に、明らかな資源・魅力として、何より「自然」、そして環境問題への関心の高まりもあって注目されている食料・自然エネルギー等の資源、「ゆっくりと流れる時間」等々がある。

以上記したことは、ある意味で自明ともいえることであり、取り立てて論じるまでもないことのようにも思える。しかしいま確認したことを出発点にして、そこから次のようないくつかの重要な手がかりが得られるように思われる。

まず、「ある地域に不足しているものが、他の地域では過剰に存在したりする」という事実である。今までの記述で明らかなように、大都市圏においてまさに不足しているもの、存在しないものが、地方都市や、農村地域においては文字通り過剰なほど存在している（ゆっくりとした時間、空間、自然等々）。逆もまたしかりである。それらの「足りないもの」は、夢のような手の届かない存在ではなく、少し空間的に移動すればいくらでも存在していたりする。ではなぜこれらがもう少しバランスよく配分されないのか？

様々な理由が考えられようが、基本的には次の二つではないだろうか。

第一は、これまでの日本においては、いわば日本全体（＝国）を「単位（ユニット）」として考えてきたということである。したがって、日本全体においてこれらの資源・魅力が

（どこかに）存在すればよいという発想であり、逆にいえば各々の「地域」をユニットとして考えるという発想が薄かった。

第二は、「時間軸」に沿って問題が改善・進歩していくとの発想が強かったことである。これはまさに前章で「経済成長の時代には時間軸が優位に立つ」と述べたことと重なっている。たとえば、首都圏で働くサラリーマンにとっては、通勤電車の混雑と長い時間は耐え難いもののはずだが、それも将来の幸福のための〝一時的な手段ないし通過点〟であり、やがて自らの所得が上がって中心部により近いところに住居が買えたり、あるいは日本全体が経済発展する中でそうした通勤・交通問題も解消されることを期待して、〝今は我慢しよう〟という発想である。これがここで言う「時間的な解決」という考え方に他ならない。

しかし、少なくともすべての問題がそのようには解決されない、ということに多くの人が気づき始めているのが現在ではないだろうか。つまり、時間的な解決という従来の発想——私がこれまで「（経済）成長による解決」と呼んできたものと重なる——では立ち行かない問題がむしろ多くなっているのであり、それは経済の成熟化・定常化という時代の構造変化と対応している。むしろ、「空間的な解決」つまり場所を変えることで物事が改善する、ということがありうるのであり、そうした発想の存在に気づき、そちらに現在よりも軸足を移していくということが、いま求められているのではないだろうか。それは同時に、先ほど指摘したもうひとつの論点、つまり日本全体をユニットとして考えるのではなく、ローカルな地域の固有性に目を向け、それを自立的なユニットとして考えていく、ということとつながっている。

もちろん、それは単純に「時間的な解決から空間的な解決へ」シフトするという具合に一足飛びに変化するものではない。しかしながら、相対的な比重として、今後は「空間的・地理的な解決」ということの重要性が高まり、あるいはそもそもそうした解決や改善の仕方に人々が気づいていく時代であると考えられよう。

さらに、もう一点先ほどの表3-3について付け加えると、ここで示している「大都市型―地方都市型―農村地域型」という区分あるいは構造は、実はグローバルなレベルにおける先進国（産業化〜ポスト産業化社会）―途上国という構造とかなりの程度対応していると言えるだろう。

つまり、たとえば「大都市圏」の問題・課題や資源・魅力として示したものは、ほぼそのまま現在の「先進国」と呼ばれる地域の（あるいは先ほどもふれたように「現代社会」の）問題群や魅力と重なっており、「地方都市型」は言うならば現在の中国のような急速な産業化の過程にある国々または地域に、「農村地域型」は産業化以前の農業（ないし狩猟）中心の社会を維持している（たとえばラオスといった）国々や地域に相当する、ということである。

そしてこうしたグローバル・レベルにおいても、これからの時代は、すべての国や地域が市場化、「産業化（工業化）」等の方向に進むのが望ましいと考えるのではなく（つまり先ほどの「時間的な解決」を絶対的なものとみなすのではなく）、むしろ地球上の各地域の地理的・風土的多様性や、固有の価値に人々の関心が向かう時代であると考えられるのである（広井［二〇〇九］参照）。

第2部 社会システム

第4章

都市計画と福祉国家——土地／公共性とコミュニティ

コミュニティをテーマとする本書の第1部において、第1章で「都市」という主題をまず取り上げ、さらに「コミュニティの中心」（第2章）、グローバル化とコミュニティ（第3章）という方向に議論を展開したが、第2部では、より具体的な政策や社会システムの次元に関心を向けていきたい。ここで重要な柱として浮かび上がってくるのは、

・都市計画や土地所有、住宅のあり方を含む都市政策
・社会保障や福祉国家のあり方に関する福祉政策

という二つの領域である。そしてこれらを象徴的に総括する趣旨で、「都市計画と福祉国家」というテーマ設定を行ってみたいのである。

「都市計画と福祉国家」というテーマは、特にヨーロッパにおいて、都市計画を中心とする都市政策と、福祉国家に関する政策とが、通底する理念の下でパラレルに展開してきたということを主に指している。しかし日本の場合、この両者がほとんどタテワリに、全くの異領域として展開してきたために、「都市計画と福祉国家」という表現に違和感を覚える読者が多いかもしれない。しかし私自身の問題意識は、本章と次章で具体的に論じていくように、まさにこの両者をつなげて考えていくことが現在の日本に求められているという点にある。

さて、「都市計画と福祉国家」というテーマを考えていくにあたり、重要な切り口となるのは次の二つと思われる。

(1) 都市計画と福祉国家の国際比較……ヨーロッパ、アメリカ、日本を含めて各国を比較すると、都市計画（ひいては土地・住宅政策）のあり方と福祉国家（社会保障）政策のあり方は密接に関連しており、特に「公―共―私（ないし政府―コミュニティ―市場）」の役割分担における力点の相違が基本的な座標軸をなしている。

(2) 歴史的展開における都市計画と福祉国家……ヨーロッパの場合、その歴史的な展開において、都市計画政策と福祉政策とがパラレルに連動する形で展開してきている。

以下ではこれらについて、少し新しい角度からの議論を展開してみよう。

1 福祉国家と都市計画の国際比較

まず、表4-1をご覧いただきたい。これは社会保障政策と、広義の都市政策（土地所有、住宅政策、都市計画）について、ヨーロッパ、アメリカ、日本を大きく国際比較したものだ。

†北欧――「公」（政府）中心のシステム

大まかに概観すると、まず北欧の場合、社会保障は「普遍主義モデル」、すなわち大きな社会保障給付と税財源という点を特徴としている。一方、意外にあまり知られていないことだが、北欧は土地所有においても「公有地」の割合が大きく、たとえばヘルシンキ市では行政地域の六五％が市の公有である（国有地も含めると七五％に及ぶ）。また「ストックホルム市は一九〇四年から積極的に土地の買収をはじめ、一九六四年には郊外部の土地の七〇％を市有地として保有することになった」（日笠［一九八五］。また日端［二〇〇八］

表 4-1　福祉（社会保障）政策と都市関連政策の国際比較

	社会保障・福祉国家	土地所有	住宅政策	都市計画	基本的性格
北欧	普遍主義モデル（大きな社会保障、税中心）	公有地割合高	社会住宅割合高	強……二層制（非拘束的地域計画と拘束的地区計画）	「公」（政府）中心
大陸ヨーロッパ（特にドイツ）	社会保険モデル（中規模の社会保障、社会保険料中心）	公有地割合中	社会住宅割合中	強……二層制（非拘束的地域計画と拘束的地区計画）	「共」（コミュニティ）中心
オランダ	同	公有地割合高	社会住宅割合高	同	
アメリカ	市場型モデル（小規模の社会保障、民間保険中心）	公有地割合低	社会住宅割合低	中……ゾーニング規制	「私」（市場）中心
イギリス	同（ただしアメリカより規模大、税中心）	公有地割合中	社会住宅割合高	強……二層制（SプランとLプラン。計画許可制）	
日本	混合型（ベースは社会保険だが社会保障の規模は小）	公有地割合低	社会住宅割合低	弱……ゾーニング規制	「私」（市場）中心

参照）。

また、後でもう少し詳しく見るが、住宅においても北欧は公的な住宅（社会住宅）の割合が高く、都市計画においても公的な規制が強い（これにはドイツの影響もある）。全体として、社会保障と都市政策いずれにおいても「公」（政府）の役割が非常に大きいといえる。

北欧における「土地の公有」という点をもう少し見てみよう。北欧の場合、もともと都市の土地は王権により都市へ寄贈されたもので、都市住民は地代を払ってその土地を利用していたが、一九世紀以降、土地の多くが市民に払い下げられた。しかし二〇世紀初頭から再び公的部門による土地取得が活発となり、一九六〇年代がピークであったという（スウェーデンでは一九七六〜八五年の一〇年間の新規開発の七五％以上が自治体所有の土地で行われた）。やがて八〇年代になると、後であらためて見る時代の潮流もあり、公的部門と民間のパートナーシップ手法ということがうたわれるようになり、従来の公有地を活用した公共主導型の開発に代わって民間主導の都市開発が主流になっていく。これは、コミューン（日本での市町村にほぼ相当）にとっての開発に伴う財政負担の軽減や計画手続きの短縮といった効率性等の要請が背景にあり、問題点も指摘されている（松本［二〇〇四］）。

†大陸ヨーロッパ（特にドイツ）——「共」（コミュニティ）的基盤と「公」

次に大陸ヨーロッパはどうか。もっとも典型的なドイツを中心に見ると、社会保障においては、「社会保険モデル」と呼びうる姿をとっており、北欧ほどではないものの社会保障の規模は概して大きく、しかし（相互扶助の理念をベースにした）社会保険が基本となっている。土地所有については、公有地の割合は北欧ほど大きくはないが、しかし一九世紀後半を中心に土地の公有化政策がとられた時期があり、中程度といえる（一九〇〇年当時、フランクフルトでは全市域の五二・七％、ハノーバーでは三七・三％、ライプチッヒでは三二・二％の土地を市が保有していた。日笠［一九八五］）。

住宅については、（後で見るイギリスのような地方自治体の公営住宅が中心ではなく）民間非営利の主体（住宅協同組合や公益住宅企業など）による社会住宅供給が多く、その意味ではここでもやはり「共」中心のシステムといえる（大場［一九九九］参照）。

一方、都市計画は公共的な規制が非常に強く、その地域の計画の大枠を規定した非拘束的地域計画（いわゆるFプラン）と建物の細部を規制する拘束的地区計画（いわゆるBプラン）からなる二層制の土地利用計画であり（この形式は一九六〇年の連邦建設法で確立し、一九八六年に建築法典へと継承）、日本でもある意味で理想的な都市計画としてしばしば参照されてきた。これは、政府という意味では「公」的なものともいえるが、ベースにあるのは（中世以来の）地域コミュニティにおける市民ないし住民自治による都市づくり・まちづくりの伝統や思想であるから、「共」的な性格のものともいえるだろう。

以上のように、ドイツを典型とする大陸ヨーロッパの場合、コミュニティとしての「共」（相互扶助）が基盤に強くありつつ、そこに住む市民の「公共性」の実現のひとつの装置として「政府（公）」があり、それらが相互に作用する中で社会保障や都市政策が展開していると考えられる。

ちなみに、大陸ヨーロッパと一口に言っても実際には国による多様性が存在する。本書の文脈で特に注目に値するのはオランダであり（表4-1でも大陸ヨーロッパの中のある種の〝亜種〟として位置づけ）、それは特に都市・土地・住宅政策において顕著である。すなわち、干拓や海抜下の土地の多さといった特殊な背景も手伝って、オランダの場合公有地の割合が大きく、またとりわけオランダにおける社会住宅の割合の大きさ（全住宅のうち三五%と、ヨーロッパ諸国の中でも群を抜いて大きい）は特徴的である（図4-1参照）。全体として見ると、オランダの場合、大陸ヨーロッパの「共」的な要素を基調にしつつ、北欧的な「公」の要素が若干大きく加わる形で展開していると言いうるだろう。

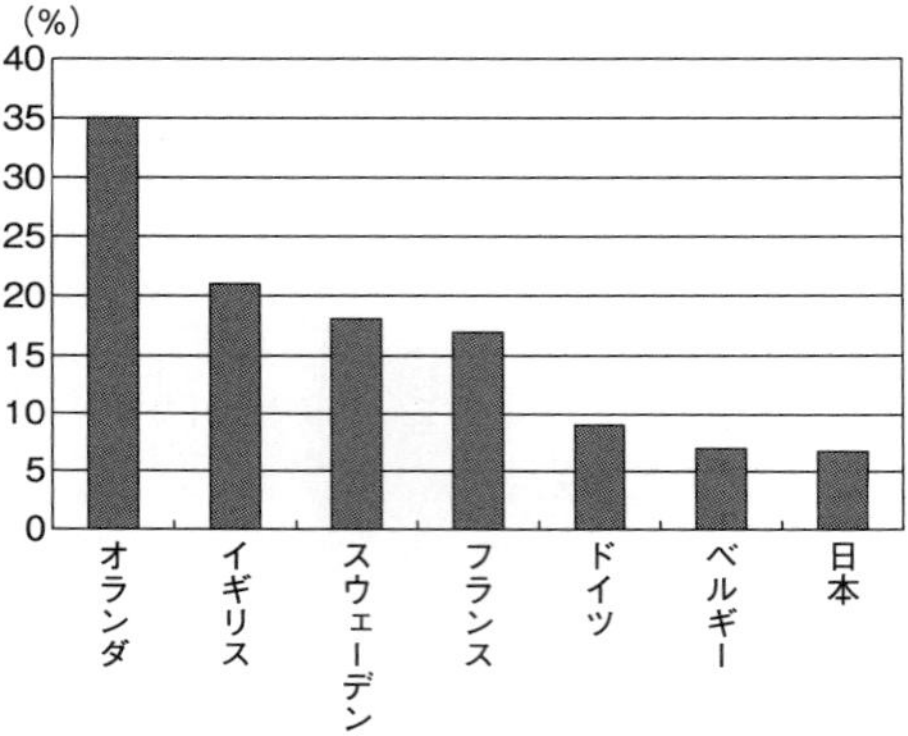

図4-1　社会住宅の割合の国際比較

（注）数字（%）は社会住宅の全住宅戸数に占める割合。海外については堀田祐三子「ヨーロッパの社会住宅制度と日本の可能性」、日本住宅会議編（2007）所載。年次はドイツ以外は2002年、ドイツは1990年。社会住宅の供給主体は公的機関、非営利法人であるがドイツについては民間企業・個人を含む。日本については総務省統計局「住宅・土地統計調査」2003年（「公営・公団・公社の借家」〔公営4.7%、公団・公社2.0%〕）。

†アメリカ及びイギリス――「私」(市場)中心のシステム

一方、「市場型モデル」という表現にほぼ集約されるのがアメリカである。この点がもっとも顕著なのは社会保障であり、社会保障の規模は先進諸国の中でもっとも小さく、民間保険等が中心となっている(社会保障の規模を国際比較した図4-2を参照)。

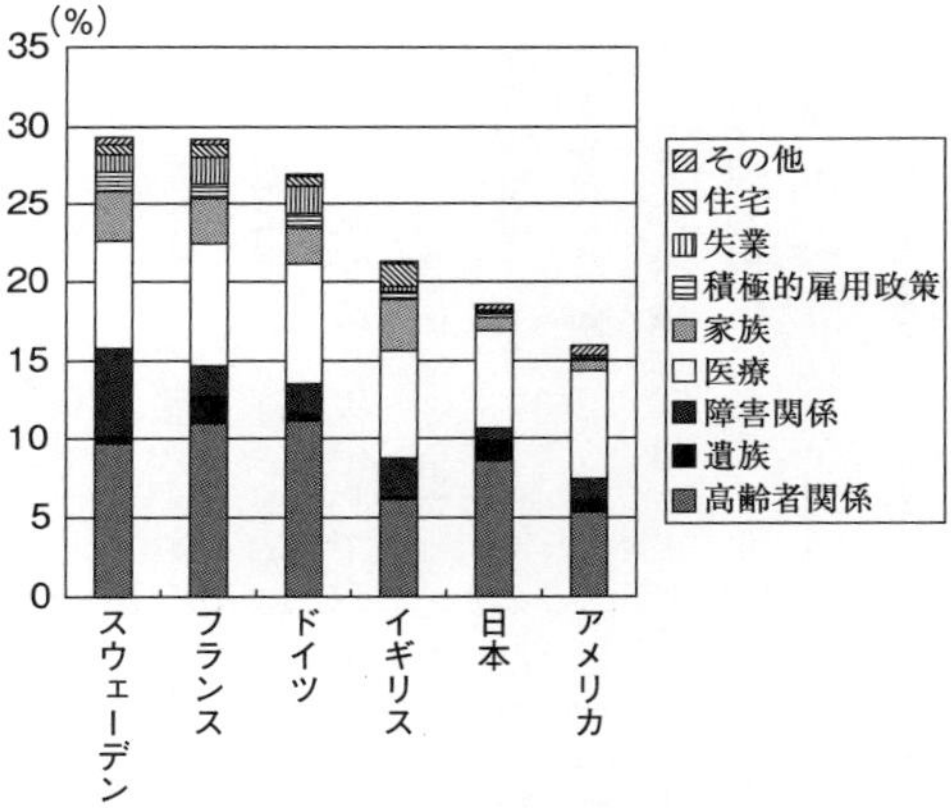

図4-2 社会保障給付費の国際比較(対GDP比、2005年)
(出所)OECDデータ

公有地の割合も小さく、社会住宅の割合も小さい。都市計画も民間事業者の役割が大きいが、ただし、ゾーニング(地域の用途を区分して規制するもの)を中心とした都市計画が一定の役割を果たしている。ゾーニングが中心という意味では日本の都市計画と類似しているが、しかし日本のそれよりも詳細なものである(ただしアメリカの場合、比較的富裕層からなる自治体が貧困層の流入を防ぐため建蔽率や容積率を厳しく抑えたという背景もある）。いずれにしても、全体を通じては「私（市場）」中心という点が基調をなしているといえる。

若干位置づけが難しいのがイギリスであり、これは社会保障についても都市政策についてもあてはまる。社会保障については、「北欧・イギリス型」という表現が使われることがあったように、税中心で政府の関与が強いシステムという点で以前は北欧とイギリスの社会保障は類似する面を多くもっていた（この点は、イギリスの公的医療制度であるＮＨＳ〔国民保健サービス〕と北欧の医療制度のように、医療分野ではなおそうした類似性を残している）。しかし、特にサッチャー政権等が急速に「小さな政府」志向の政策を展開して以降、イギリスの社会保障はアメリカ的な市場型モデルとしての性格を強く帯びるようになり、社会保障の規模において北欧とは対照的なものに変化していった。

イギリスの折衷的な側面は公有地や社会住宅についてもいえ、たとえば（先の図４-１に示されているように）イギリスの社会住宅割合はオランダに次いで大きく、スウェーデンとほぼ同水準であり（イギリスのほうがむしろやや高い）、また地方自治体の公営住宅が中心であることが特徴的である。しかし半面、北欧と異なり社会保障の規模が小さく、所得格差が大きいこともあって、結果的に公営住宅の対象が低所得層に集中し、「残余化」ないし二極化の事態を招いてしまっている（この点に関し小玉他［一九九九］）。

ただし都市計画については、厳しい計画許可制（Planning Permission）による開発規制がとられており、また一九六八年からは県レベルのSプラン（structure plan）と市町村レベルのLプラン（local plan）とからなる二層制がとられるようになっており、公共的な規制が厳格なものとなっている。ちなみに、一九四七年に都市・田園計画法という法律が改正されたが、これは私有財産である土地の財産権の絶対性を否定し、すべての土地利用は公私を問わず詳細な計画に基づいて公正に定めるという内容のもので、これは「開発権の国有化」といわれた（日端［二〇〇八］）。こうした展開はイギリスにおける福祉国家政策の展開とパラレルなものであり、全体として見た場合、先ほど「折衷的」としたように、基調において（アメリカと同様の）市場中心のシステムでありつつ、アメリカに比べてより公的部門の役割が強い形のものとなっている。

†日本──折衷型システムと「公共性／都市」をめぐる課題

では日本はどうか。社会保障ないし福祉国家のモデル化において日本の位置づけが様々な形で議論されてきたように、その性格は複合的な側面をもっており、多面的な視座が求められる（広井［一九九九］）。その大きな理由は、(1)日本が後発の産業国家というポジションにあり、急激な都市化・産業化という社会変動の中で「開発」主義的な政策基調を強くもったこと、(2)「近代化と西欧化」というテーマとも関連するが、日本の産業化が西欧化という「文化」の変化をも伴うものであり（たとえば建物の建築様式が木造から鉄筋コンクリートに急激に変化したといったことを含めて）、そこに「伝統」との間で様々な齟齬や矛盾を生むことになったこと等によるものである。

社会保障については、ドイツを基本的なモデルとしたように、基調において「社会保険モデル」としての形式をもっているものの、先ほどの図4-2に示されるように、社会保障の規模としてはアメリカと同水準で、市場型としての側面もあり、特に〝小泉改革〟や、近時におけるカイシャ・家族といった〝インフォーマルな社会保障〟の流動化の結果この傾向が強くなっている。一方、後であらためて掘り下げるように「公有地」割合は低〜中程度であり、社会住宅割合も同様である。特に都市計画については、上記の「開発優先」という志向の強さや、都市への人口集中の急激さ、ひいては建造物における（伝統と西洋的なないし近代的建築の）無秩序な共存等々といった要因が重なって、景観や居住環境の劣悪さ等を含め、矛盾がもっとも顕著に現れている。

全体としては、「私」（市場）中心のシステムという性格が特に近年強まっており、この背景には、社会システムの根底をインフォーマルな形で支えていた「共」的基盤が弱体化し、それに代わる「新しいコミュニティ」（ないし公共性）と呼ぶべき人と人との関係性や価値原理がなお未確立であるという点が基本としてあるだろう。ここでの「新しいコミュニティ／公共性」とは、他でもなく本書の中で論じてきた「都市的なコミュニティ」、つまり（ムラ社会な共同体ではなく）独立した個人と個人がつながるという形の関係性であり、社会保障を含めて真の意味での「都市」というテーマに日本社会が直面しているのが現在といえる。

2　歴史的展開における福祉国家と都市計画

共時的な国際比較を駆け足で行ったが、こうした主題を歴史的な動態という時間軸にそくして見るとどうなるだろうか。以下ではこの点を大きく四つの時期にそくして概観すると同時に、その中で特に日本における「土地の公共性」をめぐる課題を考えてみよう。

†第一期：近代化・市場経済の浸透と私的所有権……一八〜一九世紀

この時期は、言うまでもなくヨーロッパにおける私的（絶対的）所有権の確立期であり、政治的にはイギリス、フランス等における市民革命がその基本的な契機となった。

ただし、「土地」の所有権については所有権一般に比して若干特殊な側面が存在し、必ずしもその性格は単純に整理できない要素をもっている。たとえばフランスの場合、一七八九年の人権宣言において「所有権不可侵の原則」が打ち出されたが、そうした展開における理論的指導者であったシエスの所有権論では、もともと想定されているのは「労働の成果としての所有権」であり、一方、土地所有権の淵源は労働ではないため、土地所有権を自然的権利とすることには消極的であったという。しかし結局は、土地所有権は社会の利益に深く関わるがゆえにもっとも神聖であり、広範な自由が保障されねばならないとの結論が導かれたとされる（鎌田［一九七八］）。

ただしこの点に関しては、もともとフランス革命時の所有権論は、他でもなく「土地」の私的所有を念頭において行われたとの指摘もある。「例えば、封建諸税の廃棄とならんで革命の土地変革のいまひとつの柱となった教会財産の没収と売却や、共同体財産——わが国の入会財産——の分割の原則などは、旧制下に多様な形で存在していた非個人的な土地所有を否定し、それを個人の私的所有に転換させようとするものであった」（原田［一九八五］）。

推測するに、おそらくこの論点は土地という財のもつ二つの側面が交錯していることに由来するものだろう。すなわち一方で、農業生産を主とする当時の経済構造において紛れもなく最大の富は「土地」であり、それをめぐる支配関係を（封建的な貴族・大地主による支配から）転換し、その再分配を図ることにこそ市民革命の実質的な意味はあったと考えられるから、（奇しくも戦後日本における農地改革がそうであったように）土地の私的所有＝個人所有ということを強く主張することにそれはつながる。しかし他方、市場化そしてやがて来る産業化の時代において主要な商品となるのは人々の「労働」の果実としての様々な物品であり、「土地は本来商品ではない」とのポランニーの言葉をまつまでもなく、もともと共同体的な所有（ないし共同体そのもの）と不可分の関係にあった「土地」というものは、市場化という方向にもっともなじみにくい面をもっている。こうした土地のもつ両義性が、近代的な所有権との関係における土地の位置づけに若干錯綜した性格を与えていると思われる。

†日本における展開――「土地の公共性」をめぐって

いま「第一期：近代化・市場経済の浸透と私的所有権」というステップを概観したが、こうした文脈に照らして日本での展開をながめると、日本の場合、明治初期（一八七三年）の地租改正（＝全国の民有地をすべて測量し、各土地について地価を算出するとともにその地価に基づいてその一〇〇分の三を地租とし、これを現金で納付するものとされた）により、土地が市場取引の対象となっていったが、金納が困難な農民層が徐々に小作農に転化し、大地主―小作農への分極を招いていった。結局日本の場合、江戸期までの土地の共同体的所有（ないし曖昧な所有権観念）から、いわば十分な個人所有化をへぬまま大土地所有へと展開したことになり、その課題は〝一周遅れ〟の形で第二次大戦後の農地改革に持ち越されることになる。

なお日本の制度改革において、この時期もうひとつ不徹底であり、現在に引き継がれている課題として「地籍」の整備がある。地籍とは土地ごとの所有者、面積、境界などを示すもので、ヨーロッパの場合、一九世紀半ばにナポレオン三世によるフランス、ドイツ、オランダでの大規模な地籍調査が行われ、民有地の正確な形状と規模が「公図 official map」として作成された（〝ナポレオンの検地〟と呼ばれる。（財）民間都市開発推進機構都市研究センター［二〇〇四］）。日本の場合、こうした地籍の整備が大幅に遅れており、二〇〇四年度末の達成率は、

・都市部（DID〔人口集中地区〕）　一九％
・宅地　四九％
・農用地　六九％
・林地　三九％

合計　四六％

と低いものになっている（土地白書）。都道府県別に見ると、もっとも低い大阪府の場合、地籍調査の進捗率はわずか二％に過ぎない。

もう少し補足すると、全国の登記所にある地図の多くは、明治時代の地租改正時や戦後混乱期などに作成されたもので、境界や面積が不正確なものが多い。不動産登記法では、土地の境界を明確にするため、正確な測量に基づく地図を登記所に備え付けるよう定めているが、その地図が整うまでの暫定措置として既存の公的地図（明治時代に作成された「字限図」と呼ばれる地図や戦後の戦災復興図など）が参考図として使われており、それらを正確なものに置き換えるために行っているのが先ほどの「地籍調査」である。地籍調査がなかなか進まない理由は、土地が細分化され権利関係が錯綜していることに加え、地権者の利害に絡むことが多いからである。

いずれにしても、土地所有をめぐる関係が私的ないしインフォーマルな状態で放置されている日本の状況がよく示されている。

あまり正面から論じられることが少ないのだが、この「地籍」の整備という点は、土地のあり方、特に土地の公共性という点に関してかなり本質的な面を含んでいると思われる。

若干話題を広げることになるが、司馬遼太郎が対談集『土地と日本人』の中で述べている次のような指摘がある。

「やや大がかりにいえば、日本の土地というのは、太閤検地の時に初めて実測された。……これは二十数パーセントの平場に対して行われたもので、山林は秀吉も手つかずで置いた。その後、明治の維新政府も土地にさわっていませんね。フランスは大革命後に、アメリカも独立戦争のあとに土地について明快な測定をして、社会の基礎を作り上げた。ところが明治維新はそれをやらなかった。」

「世界的に有名な革命というのはすべて土地問題を解決している。……明治維新だけが土地問題に手を触れずに過ごした。……農地解放（引用者注：第二次大戦後の農地改革）については私も非常に大きな評価をしておったんです。つまり明治維新でなしとげられなかったことをやった、と思っていたんですけれども、よく考えてみると、太閤検地以来の平場の農地を解放しただけであって、それは日本の全面積の二〜三割にすぎなくて、あとの七〜八割が山林である。……ところが、あとの手つかずの山林が宅地化し、工業用地化し、あるいは道路、鉄道その他の……いろんな土地利用のために、……狂騰しはじめましたでしょう。」（司馬［一九八〇］）

司馬がここで主に論じているのは戦後の高度成長期そしてバブル期を中心に「山林」が次々に道路建設や様々な投機の対象になっていったことだが、土地をめぐる権利関係の基盤となる「地籍」整備に関しては、先の整備率に示されているように都市部においても、というより都市部においてこそ、大半が放置された状況になっている。

司馬の対談からも浮かび上がることであり、後の議論とも関わる点だが、日本人はもともと土地に対して、〝近代所有権〟的な、ないし資本主義的な執着があったわけではない。その土地に対する感覚は、一方である種「共有的」あるいはコモンズ的なものであり、かつそれは言語以前的な、漠然とした、しかし確固たる愛着という性格を多分にもつものだった（それは人間にとっての原的な土地や自然に対する感覚として、ある程度普遍的な性格のものといえる）。それが明治初期の地租改正で（地租を払うということとの関連で）一定の明確な土地所有意識が生まれ、やがて（地租を払えない農民が土地を売り払うことで）地主―小作の分化が進むとともに、第二次大戦後の農地改革で私的所有の絶対性が強まり、しかもそれが高度成長期の開発志向の流れに大きく組み込まれる形で半ば〝暴走〟していったことになる。

致命的であったのは、先の地籍の未整備という点や、都市計画の弱さという点などに象徴されるように、そこに「公共性」の論理による規制が働かず、私的利益の追求が野放しで展開していったことだ。ある意味では、農村的な論理（素朴な私益と「公共性」の薄さ）が、共同体的な制約から解き放たれる中で都市的な論理の一部（私的所有権という発想）と奇妙に、あるいは中途半端に結びついた帰結ともいえる。

今後求められているのは、①本来の都市的なものの確立＝公共性ということと、②「共」的なもの（コモンズなど）の再評価・再構築ということと私は考えるが、これについては次章においてさらに主題化していきたい。

†第二期〔産業化前期〕：急速な都市化と「近代的都市計画」＆社会保険……一九世紀後半〜二〇世紀前半

この時期は、一八世紀末の産業革命に端を発する産業化ないし工業化の流れが大きなうねりとなって展開し、工場労働者を中心とする急速な都市化が進んでいった時代である。

社会保障に関しては、現在に続く社会保障の基礎的な枠組みが作られた時期と言ってよく、それはとりわけ「社会保険」のシステムに象徴されるものである。具体的には、よく知られるようにドイツの宰相ビスマルクが労働者に対する〝アメとムチ〟の政策の一環として、一八八〇年代に創設した各種社会保険の制度（一八八三年の疾病保険、一八八四年の労災保険、一八八九年の廃疾・老齢保険）が典型であり、これはやがてイギリスにおける老齢年金法（一九〇八年）、国民保険法（一九一一年）等といった形で各国に浸透していく。要するに、産業化に伴って大量に発生した都市労働者の生活保障システムとして、社会保障が大きく生成していったのである。

同時に、そうした急速かつ大規模な都市化の潮流の中で、この時期はいわゆる「近代的都市計画」と呼ばれるものが各国で整備されていった時代でもある。列挙すると、

・ドイツ：一八九一年近代ゾーニング制（フランクフルト市）～一九〇〇年ザクセン一般建築法
・スウェーデン：一九〇七年都市計画法
・イギリス：一九〇九年住宅・都市計画法（the Housing and Town Planning Act）
・アメリカ：一九一六年ニューヨーク市での最初の総合的なゾーニング規制条例
・フランス：一九一九年都市計画法

等である（詳しくは岩田他［一九九二］、日笠［一九八五］、日端［二〇〇八］、（財）民間都市開発推進機構都市研究センター編［二〇〇四］）。ちなみにイギリスでのハワードの田園都市論（一八九八年）や、第2章でもふれたアメリカでのC・A・ペリーの近隣住区論が出された

のもこうした前後の時期である。

都市計画の整備と並んで、「土地の公有化」ということもこの時期に一定程度進められた。たとえばドイツの場合、都市への人口集中による市街地の拡大と土地に対する投機、地価の高騰が問題となったため、ドイツの多くの都市では市街地周辺の土地を先行取得する政策がとられ、先の国際比較のところでもふれたように、当時ドイツの主要都市の相当部分は市の所有地となっていた。都市計画との関係では、むしろこうした公有地化には限界があることから、「二〇世紀に入ると市町村が土地を取得せずに民有地のままで、地区施設を整備し、土地利用に規制を加える手法が開発されてくる。それが土地区画整理であり、地域地区制度であった」とされる（日笠［一九八五］）。

また先述のハワードの田園都市論においても、土地の公有（都市の経営主体が土地をすべて所有し私有を認めず、借地の利用については規制を行う）ということが柱のひとつとなっており、こうした考えを踏まえてハワードは田園都市株式会社を創設し（一九〇三年）、最初の田園都市レッチワースを実現させている（ただしこの場合の「公有」の意味は、ハワードの議論にも示されているように必ずしも政府所有に限定されるものではなく、公共的な性格の組織ないし法人所有といった意味を含むものである）。イギリスにそくしてさらに見れば、農地法による農地の社会的コントロール（一九〇九年）、都市農村計画法による土地増価に対する制限（一九〇九年、一九三二年）、ナショナル・トラスト法による自然と歴史的環境保全（一九〇七年、一九三七年）など、土地所有に対する様々な社会的規制が強化されていく一連の動きがこの時期に見られるのである。

全体としては、産業化や急速な都市化の中で、一方で都市労働者の生活保障という観点から先述の社会保険その他の社会保障システムが整備され、他方で都市そのものの環境整備や市街化の抑制、地価の安定等の目的で、一定の土地公有化とセットになる形で都市計画システムが形成されていったのがこの第二期といえるだろう。

†第三期〔産業化後期〕：ケインズ政策・福祉国家の時代とその変容……二〇世紀後半

第三期は「産業化・後期」ともいえる時期であり、第二次大戦後の文脈において、供給主導の産業化がある程度成熟する中で、「所得再分配や公共事業等を通じた需要拡大」を基調とするケインズ政策が先進諸国においてとられるようになった時期である。それは一方において、いわゆる「ケインズ主義的福祉国家 Keynesian welfare state」あるいは〝福祉国家の黄金時代〟とも呼ばれるような積極的な福祉国家政策の時代であり、また都市計画や土地の公有化といった都市政策の文脈においても公的な介入が強化された時期であった。

この時期をさらにいくつかに分ければ、概ね以下のような区分が成り立ちうるだろう。

① 戦後復興期……福祉国家政策のスタート
② 六〇～七〇年代……「社会化」の強化の時代
③ 八〇年代以降……福祉国家の見直し

このうち①は福祉国家政策の本格化の時期であり、先にもふれたイギリスにおけるNHS創設を通じた医療の国営化、ヨーロッパ諸国における児童手当の制度化等、様々な社会保障政策の強化が行われるとともに、この時期いわゆる「社会住宅」が大規模な形で建設され、また都市計画枠組みの強化が順次図られた。イギリスにおける一九四七年の都市農村計画法（開発計画とそれに基づく計画許可制度）、ドイツにおける一九六〇年の連邦建設法、スウェーデンにおける一九四七年の建築法などがそれであり、このうちドイツの連邦建設法においては、国際比較のところでもふれたFプラン・Bプランからなる二層制の都市計画システムがとられるに至っている。

続く②は、福祉国家政策に象徴されるような「社会化」の方向が、当時の高い経済成長とも相まってますます強化された時期であり、進行しつつあった地価高騰、乱開発、環境問題の生成等といった展開とも結びついて積極的な国家の介入政策がとられていった。

都市計画に関しては、たとえばイギリスの場合、一九四七年の都市農村計画法を発展・強化させる形で、一九六八年の同名法において開発計画が（先の国際比較のところでもふれたように）二層の構造にされた。

そして、こうした展開の中には「土地公有化」政策の強化という点も含まれていた。その典型は北欧であり、もともと北欧諸国の場合、二〇世紀初頭から公的部門による土地取得が活発になっていたが、そのピークは一九六〇年代であったとされる（松本［二〇〇四］）。またイギリスでは、一九七五年に Community Land Act という法律が作られているが、これは私的インセンティブによる開発を原則否定し、開発前に土地を「収容命令」によって公共団体の「公有」に移していくという内容のものであった（これにはストックホルムの土地公有化政策が参照されたとされる）（日本土地法学会［一九七八］参照）。

フランスの場合も、すでに一九五三年の土地法において公共団体の収用権限が大幅に拡大されていたが（「公的取得・整備・再譲渡」のシステム）、一九六〇年代後半以降は、地価高騰などの状況を受けてさらに積極的な公有地拡大政策がとられ（これには社会住宅の整備の関連や、環境保護の観点からの緑地政策という側面も含まれる）、特に市街地の公有化が一定程度進められていった（具体的には、一九六七年の「土地利用の方向づけの法律」により都市計画法制が改革され、「公共団体の土地取得」という考えが明記されかつ都市計画が二段階〔整備・都市計画指導スキーム（S.D.A.U）と土地占有プラン（P.O.S）〕になり、さらに一九七五・七六年の土地政策の改革により公有化の方向がさらに強化された。背景として一九七〇年代における地価高騰、都市過密化、居住格差、公害等があったとされる〔原田［一九七八］〕。

このように、まさに「福祉国家」の政策が大きく展開するのとパラレルに、この時期においては都市計画や土地の公有化に関する政策が強化されていったことになる。

そして③（八〇年代以降）は、大きくいえば以上のように一九六〇〜七〇年代を中心に大きく拡大していった福祉国家的政策の見直しの時期であり、民営化や規制緩和等の流れが（国によりその程度を異にしつつ）進んでいった。イギリスのサッチャー改革は確かにこうした流れのひとつの象徴であり、年金など社会保障給付の削減とともに、都市・土地・住宅政策に関しても公営住宅の払い下げ、ニュータウン内の住宅・用地の売却等の政策を進めていった（日本土地法学会［一九八五］）。土地公有の度合いが高い北欧においても、先ほどふれたように八〇年代になると従来の公有地を活用した公共主導型の開発に代わり、公的部門とのパートナーシップ手法などを含め民間主導の都市開発に比重が移るようになった。

†第四期：経済の成熟化・定常化と福祉政策・都市政策

そして現在に続く第四期は、概ね一九九〇年代以降の展開であり、社会保障に関しては高齢化、少子化はもちろん、格差や現代の貧困、若年者等の失業、社会的排除等々の問題が重層的に現れるとともに、それらが中心市街地の荒廃・空洞化や一部地域のスラム化、空間格差等といった形で都市・土地・住宅政策とダイレクトに連動する形で生成するに至る時代である。ここではまさに「福祉政策と都市政策の統合」が大きな課題として浮上する。

併せて少子・高齢化や人口減少ということが、たとえば〝シュリンキング・ポリシー〟（都市のあり方をいかにして従来の拡大・成長型のものから人口減少や少子・高齢化に適合したものに変容させていくかという政策課題）という形で社会保障政策そして都市政策に共通して立ち現れていることになる。

これらとパラレルに、やはりこの時代の基本線をなしているのが「環境（～サステイナビリティ）」への関心であり、このテーマは以上の福祉政策・都市政策とも相互に深く関連している。たとえば、ホートンは「サステイナブル都市の五つの公平性」という興味深い議論を行っており、その概略は表4-2のようなものとなっている（大西［二〇〇四］）。

表 4-2　都市のタイプと公平性

公平性	都市のタイプ			
	経済成長型	自給型	改造型	補償型
世代間公平	◎	◎	◎	◎
社会的公平	?	◎	○	◎
地域間公平	?	? ?	—	◎
制度的公平	?	◎	—	◎
種間公平	—	◎	?	○

（注）◎公平性が高い　○明確ではないが概ね公平　－不明　？疑問である
（出所）Haughton（1999）〔大西［2004］所収〕

ここで表の「改造型」とは「都市間では集中的分散を図り、都市内では高い密度での居住、複合開発を促進し都市内の移動の必要性を最小限にする」ような都市のあり方を意味し、「補償型」とは「開発によって発生する環境負荷や環境の改変を何らかの方法で補償する」都市のあり方を意味している。マトリクスの個々の評価については議論がありうるが、いずれにしても私たちの問題意識にとって興味深いのは、「公平性」といった、福祉政策の基本課題が、都市のあり方をめぐる空間的・地理的な課題や、持続可能性をめぐる環境政策の課題とクロス・オーバーしているという点である。

これらの課題は、ヨーロッパ等の先進諸国や、日本において、そこに至るプロセスや現在の課題の具体的なありようは大きく異なるものではあれ、共通して現れているものである。社会保障、都市政策、環境政策いずれにおいても日本における状況や課題がきわめて困難なものであることは確かだが、たとえば（若年）失業問題など、ヨーロッパにおける課題が一定のタイムラグの後に日本において生成しているという側面もあり、一方、次章で論じる「公―共―私（あるいは政府―コミュニティ―市場）」の役割分担の再編やクロス・オーバーという主題もまた、異なる経路をへながら各国が模索を続けており、そうした意味では、これらは大きくはポスト産業化あるいは経済の成熟化・定常化の状況にある国々ないし地域が一様に直面している課題群ともいえる。

一方、日本とヨーロッパにおける歴史的展開を大きな視野でとらえ返すと、ヨーロッパにおいて（第三期を中心に）土地・住宅・都市の「社会化」が強化されていったのとは異なり、日本の場合、先ほども若干論じたように、農地改革（一九四五～四六年）等の帰結として、また強い「開発」基調の中での急激な都市化を背景として、「公共性」を欠落する形でかえって土地所有の私的性格が強まっていった。

この場合、農地改革は両義的な意味をもっており、一方において、「土地の再分配」を通じて土地所有の平等化が図られ、大地主―小作制からの脱却がなされるとともにそれが人々にとっての〝共通のスタートライン〟として機能したというポジティブな面があることは確かだが、同時にその負の側面として、私的所有の対象としての土地（ひいては投機的な財としての土地）という観念が強化されていったことも明らかな事実である。距離を置いて見るならば、ある意味でそれは日本における〝遅れてきた（上からの）市民革命〟、つまり所有権の絶対性という近代的な価値がタイムラグを伴って浸透するプロセスであり、ヨーロッパに比していわば〝一周遅れ〟の私有化への展開ともいえる性格をもっている。そうしたことのネガティブな遺産が、社会保障においても、また住宅や都市計画、土地政策においても一気に顕在化しているのが現在の状況といえ、「公」や「共」の強化を中心に、社会保障政策と土地・住宅・都市政策そして環境政策を通じた包括的なビジョンや政策展開が必要になっている。

「都市計画と福祉国家」という問題意識から本章で見てきたような、時間軸と国際比較の両者を含めた大きな視座の中で、そうした日本での課題と改革の方向について次章において考えていこう。

第5章　ストックをめぐる社会保障——資本主義／社会主義とコミュニティ

本章では、都市計画と福祉国家に関する前章での議論を受けて、社会保障のあり方に目を向けるとともに「ストックをめぐる社会保障」という新たなテーマに焦点をあて、これらを通じてコミュニティ、土地、住宅、都市、格差、環境等といった問題群の全体を把握する視座と今後の方向を考えてみよう。

†「ストックをめぐる社会保障」とは

しばらく前から様々な「格差」をめぐる問題が活発に議論されているが、どちらかというと議論の中心になっているのは所得、つまり「フロー」面での格差問題である。しかしながら、そうした格差がより大きいのは実は資産あるいは「ストック」面での格差であり、実際、格差の度合いを示すいわゆるジニ係数を見ると、年間収入（二人以上の一般世帯）

のジニ係数が〇・三〇八であるのに対し、貯蓄におけるそれは〇・五五六、住宅・宅地資産額におけるそれは〇・五七三となっており（全国消費実態調査〔二〇〇四年〕）、所得よりむしろ土地等の資産格差がずっと大きいことが示されている。

所得の格差が重要な課題であることは言うまでもないが、ある意味でそれ以上に重要なのが資産面の格差ともいえる。なぜなら資産面、特に土地所有などの格差は、親から受け継ぐものであり、その「格差」は本人には如何ともしがたい性格のものだからである。言い換えれば、「機会の平等」という観点から見た場合、資産面での格差是正はきわめて重要な意味をもつ。

過去の政策展開を振り返ると、戦後まもない時期の日本が非常にラディカルな形で行ったのが、実はこうした資産面での「機会の平等」の実現のための政策だった。具体的には第一にいわゆる農地改革を通じた「土地の再分配」であり、第二に新制中学の義務化を通じた教育の機会の平等である。これらの政策が、個人の「共通のスタートライン」の実現に寄与し、その後の経済発展の大きな基盤になったことを私たちはいま一度再評価すべきではないだろうか（広井〔二〇〇六〕、〔二〇〇九〕参照）。そして、そのような「機会の平等のための再分配」政策がいま再び問われているのではないか。

ここでは、以上のような問題意識を踏まえ、土地等を中心とする資産に関する格差の現状・実態を明らかにするとともに、「**ストックをめぐる社会保障**」というコンセプトを設定し、今後とられるべき政策対応のあり方を幅広い視点から吟味してみたい。これにより、従来ほぼもっぱら「フロー」に注目して論じられてきた社会保障の裾野を大きく広げる形での新たな視点や方向性が提示される。

同時に、こうした問題意識を展開していくと、それは狭義の社会保障ないし福祉政策のあり方のみの議論にはとどまらず、前章でも述べた「公有地」のあり方を含む土地政策、住宅政策、ひいては都市計画や「空間格差」、社会的排除をめぐる課題等を含む都市政策全般にも自ずと射程が広がっていくことになり、これら全体が「コミュニティ」をめぐる課題に連動することになる。本章では、このような関心を踏まえて、特に「**福祉政策と都市政策の統合**」という新たな方向を併せて提案していきたい。

1　これからの社会保障政策／福祉国家の方向性

議論の流れとして、まずこれからの社会保障政策ないし福祉国家の大きな理念や方向性に関する考察を行い、続いてそれを受けた具体的な政策のあり方について吟味したい。

†事後から事前へ――福祉国家の意味

議論の大きな枠組みとして「福祉国家」というシステムの意味を再考してみよう。

あらためて確認すると、もともと「福祉国家」というコンセプトは、資本主義と社会主義の間の〝中間の道（ミドル・ウェイ）〟として、主に二〇世紀に構想され、特に第二次大戦後のヨーロッパを中心に大きく展開してきた考え方である。現実には、それは冷戦という、「資本主義（米国）と社会主義（ソ連）の間のシステム対立」にあって、そのいずれでもない社会モデルとして発展し、現在に至っている。

そもそも福祉国家とは一言でいえば「市場経済プラス〝事後的な〟再分配」という社会システムである。つまり、まず「個人の自由な競争」としての市場経済の仕組みを前提とし、そこで生じる経済格差ないし富の分配の不平等といった問題を、社会保障などによっていわば事後的に是正するという考え方だ（福祉国家はかつて社会主義サイドから〝修正資本主義〟とも呼ばれた）。

ところが現在、次のような二つの基本的な問題が顕在化している。第一は、福祉国家が発展して社会保障の規模が大きくなればなるほど、そのための財源は個人や企業の所得から差し引かれることになるから、経済活動のインセンティブを損なうものになり、福祉国家の基盤自体を揺るがすという問題である。第二は、まったく逆の方向からの批判であり、資産面を含む人々の間の格差が次第に拡大し、個人が〝チャンス（機会）の平等〟を有しているという状況が揺らぎ、その結果、福祉国家が想定している、「個人の自由な競争」という前提そのものが大きく崩れてきているという点である。

以上の二つの批判は異なる方向からのものであるが、しかし両者はいずれも、福祉国家が想定している前提自体が揺らいでいるという内容において共通している。

こうした中で、発想を大きく転換し、市場経済に対する「〝事後的な〟再分配」ではなく、いわばもっと「上流」に遡った、「〝事前的な〟分配」とも呼ぶべき対応が必要なのではないかという考えが浮上する。

この発想のひとつの側面は、「個人が〝共通のスタートライン〟に立てるということ（機会の平等の保障）は徹底して追求し実現させよう。しかしその後で生じる格差の是正については最小限のものでよい」という考え方である。これは一見、非常に「自由主義」的な、ある意味できわめて〝資本主義的な〟考え方のようにも見える。はたしてそうだろうか。

そうではない。というのも、真の意味で個人の「機会の平等」ということを保障しようとするならば、そこに相当な〝制度的な介入〟あるいは再分配のシステムが必要になってい、くるからである。たとえば現在の日本のように、同じような社会システムが数十年以上にわたって続いている社会では、各世帯の格差が世代を通じて累積していくため、個人が生まれた時点で経済的に「共通のスタートライン」に立っているとは言い難い状況になっている。個人に均等な「機会」を保障するためには、たとえば相続税を強化しそれを通じた富の再分配を行うこと等が必要になる。つまり「個人のチャンスの保障」という、自由主義的ないし資本主義的な理念を実現するために、社会主義的ともいえるような関与が必要になるという、ある種のパラドックスがここにある。

†定常型社会と「市場経済を超える領域」の生成

福祉国家の新たな方向について論じているが、これらの議論のもっとも大きな背景あるいは前提としておさえておくべきテーマがある。それは経済の成熟化という現象であり、第3章などでも少しふれた「定常型社会」と呼ぶべき社会への移行である（広井［二〇〇一］）。

一八世紀前後から現在まで、市場経済の領域は飛躍的な拡大を続けてきたが、それが最近ある種の成熟ないし飽和ともいうべき状況を見せ始めている。背景としては、日本に見られるような人口減少という事態や、資源・環境制約の顕在化という要因があるが、根本的には、〝貨幣で計測できるような人間の需要（あるいは欲求）〟が、ほとんど飽和しつつあるという状況に目を向けるべきだろう。こうした事態を無視して従来型の「景気刺激」策を続けていれば、赤字を拡大させ将来世代にツケを回すのみである。

第3章でも若干論じたが、消費構造という観点から見ると、人間の消費は「物質の消費→エネルギーの消費→情報の消費」という流れで展開し、現在はむしろ「時間の消費」とも呼ぶべき新たな方向に向かいつつある。ここで重要なことは、以上のうち「情報の消費」までは何らかの形で物質的（マテリアル）なものと結びついていることである。こうした領域では、生産者はただ自己の利益追求を考えればよく、その〝動機〟自体が問われることはない。アダム・スミスをまつまでもなく、資本主義とはこうした「私利の追求」ということを〝最大限にうまく活用したシステム〟であり、それが経済の規模拡大を通して全体の利益にもつながったのである。逆に「私利の追求」を否定した社会主義は崩壊した。

ところがそうした「私利の追求」を有効なインセンティブとして拡大・発展した市場経済の領域が、今むしろ飽和しつつある。これに代わって、先ほど「時間の消費」と呼んだ、コミュニティや自然や公共性、スピリチュアリティといった領域に関する人間の欲求が大きく展開しつつあり、組織的にはＮＰＯや社会起業家といった形態が浮上している。「市場経済を超える領域」の展開において、営利と非営利、貨幣経済と非貨幣経済が交差するのである。

一方、労働という面から見ても、現在の先進諸国はいわば〝生産性が上がりすぎた社会〟となっており、ある種の構造的な「生産過剰」状態にあり、その結果失業が慢性化する状況にある。したがって、むしろ賃労働の時間は減らし、そのぶんをコミュニティや自然等に関する活動の時間にあてることが、失業削減にもつながると同時に先ほどの「市場経済を超える領域」の発展につながることになる。

市場経済における賃労働から、市場を超えた領域でのコミュニティや自然に関わる様々な活動や余暇への「時間の再配分」が求められているのである（詳細について広井［二〇〇九］参照）。

＊定常型社会における「生産性」概念の問いなおし

定常型社会という社会のありようは、「労働生産性から環境効率性（ないし資源生産性）へ」のシフトということと関連している。これは一見わかりにくい表現に響くかもしれないが、その趣旨は次のように明快だ。すなわち、以前は「人が足りず、自然資源が余っている」という状況だった。こうした時代には、資源はどんどん使ってよいから、できるだけ少ない労働力で多くの生産を上げること、つまり「労働生産性」が重要だった。ところが時代は大きく変わり、今では逆に「人は余り(=慢性的な失業)、むしろ自然資源が足りない」という状況になっている。このような時代には、「人」はどんどん積極的に使い、資源消費を節約するという経済のパターンが重要になる。これが「労働生産性から環境効率性へ」ということの意味である。

このような視点に立つと、介護・福祉や教育といった、「人」がキーポイントになる領域――「ケア」に関わる領域とも呼びうる――に積極的な投資を行うことこそが、経済の観点から見ても効果的ということになる。介護などの分野は〝生産性が低い〟ことの代表のようにいわれてきたが、それは従来のモノサシ(=生産性概念)から見ているからであって、環境効率性ないし資源生産性の観点からは〝優等生〟なのである。教育や福祉に力を入れているフィンランドなど北欧諸国の「国際競争力」が高いことの背景にはこうしたことも関与していると思われる。

別の表現を使えば、介護・福祉などの分野は「労働集約型」産業の典型であるが、産業化の時代が(自然資源の大量消費を通じて生産性を上げるという)「資源集約型」の経済構造だったとすれば、定常化の時代においては「人」が主体である労働集約型の経済が再評価されていくことになるだろう。労働集約型ということは実は〝雇用創出効果〟が大きいということでもあり、興味深いことに、産業別の雇用誘発効果を比較すると介護・福祉分野は際立って高いものとなっている。
いずれにしても、定常型社会においては「生産性」という概念そのものを根本から問いなおしていく必要がある。

†フローからストックへ

一方、経済の成熟化ということがもたらす新たな状況として、〝富の源泉〟が「フロー」から「ストック」に重点シフトするという事態がある。

一八世紀以来の市場経済の大幅な発展の時期とは、すなわち「フロー」(年ごとの生産活動)が拡大を続ける時代ということでもあった。この場合、富の源泉は何よりも人々の「労働」という経済活動にあった。大量の資源を消費しつつ、そこでの「労働生産性」を上げることが経済の拡大につながったのである。これは、それまでの(産業化以前の)時代に「土地」などのストックが富の中心的な源泉と考えられていたことからの大きな〝離陸〟であった。

ところが今迎えつつある、先ほど述べた成熟化ないし「定常化」の時代は、人々の需要が飽和し、フローが拡大し続けるという状況がなくなる時代であるから、自ずと土地などの自然資源や資産などのストックが相対的に比重を増していくことになる。こうして、

「ストックの分配」というテーマが構造的に重要さを増していくと同時に、地球環境問題を含めた資源・環境制約の顕在化という状況がストックの重要性という認識を強化する。

これらと並行して生じるのが「課税対象」ないし税体系の変化ということである。考えてみれば、およそ税というものは（それが「富の再分配」の主要な装置であることから）その時代において重要な〝富の源泉〟にかけられるものである。すなわち、産業化が本格化する以前の社会では、土地など（のストック）が主要な課税対象であったが、市場化・産業化の時代以降、その中心は「労働（とその結果としての所得）」に移り、消費社会に至ると徐々に消費税という形が広がった。

実際、明治政府の当初の主要な財源は「地租」であり、明治初期には地租が税収全体の八割以上を占めていた（明治二〇年においても六〇％以上。産業化の中でやがて税収の中心は「所得税」に移り、所得税が税収の首位になるのは大正一〇年頃のことである）。そして以上のような文脈からすれば、今後重要になるのは、土地や自然資源及び資産などの「ストック」への課税とそれを通じた「富の再分配」である（図5-1）。

以上、社会保障あるいは福祉国家の今後の方向として、「事後から事前へ」「フローからストックへ」という二つを挙げたが、考えてみれば、人間ないし個人は人生を歩んでいく中で、各段階で自分自身に与えられた（あるいは自身を取り巻く）環境あるいはストック的

前産業化時代	土地	→地租など
	↓	
産業化時代・前期	労働（～所得）	→所得税・法人税
	↓	
同・後期（消費社会）	消費	→消費税
	↓	
ポスト産業化	資産、相続（社会的ストック）	→相続税等
～定常型社会	自然資源消費・環境負荷（自然ストック）	→環境税・土地課税

図 5-1　経済社会システムの進化と“富の源泉”及び税制

な基盤――生まれた家の経済状況、教育、文化的環境、コミュニティ、自然資源等――をベースにしつつ自らの活動を行っていくわけであるから、「事後から事前へ」と「フローからストックへ」という両者は、相互に深く関連し合うことになる。

また、このように考えていくと、「ストックに関する社会保障」という本章での中心コンセプトは、さしあたり住宅、教育、相続等に関するものであるが、それだけにとどまらず、土地所有のあり方や都市政策、コミュニティのあり方、環境政策等とも広く緊密に関わるものであることが示唆される。これらについては次節でより具体的な形で吟味していきたい。

†「公―共―私」をめぐるダイナミクス

以上の議論と並行して、今後の社会保障のあり方ひいては住宅や都市・土地政策等のあり方を考える上で重要となる視点として、第3章でもグローバル化との関連で議論した「公

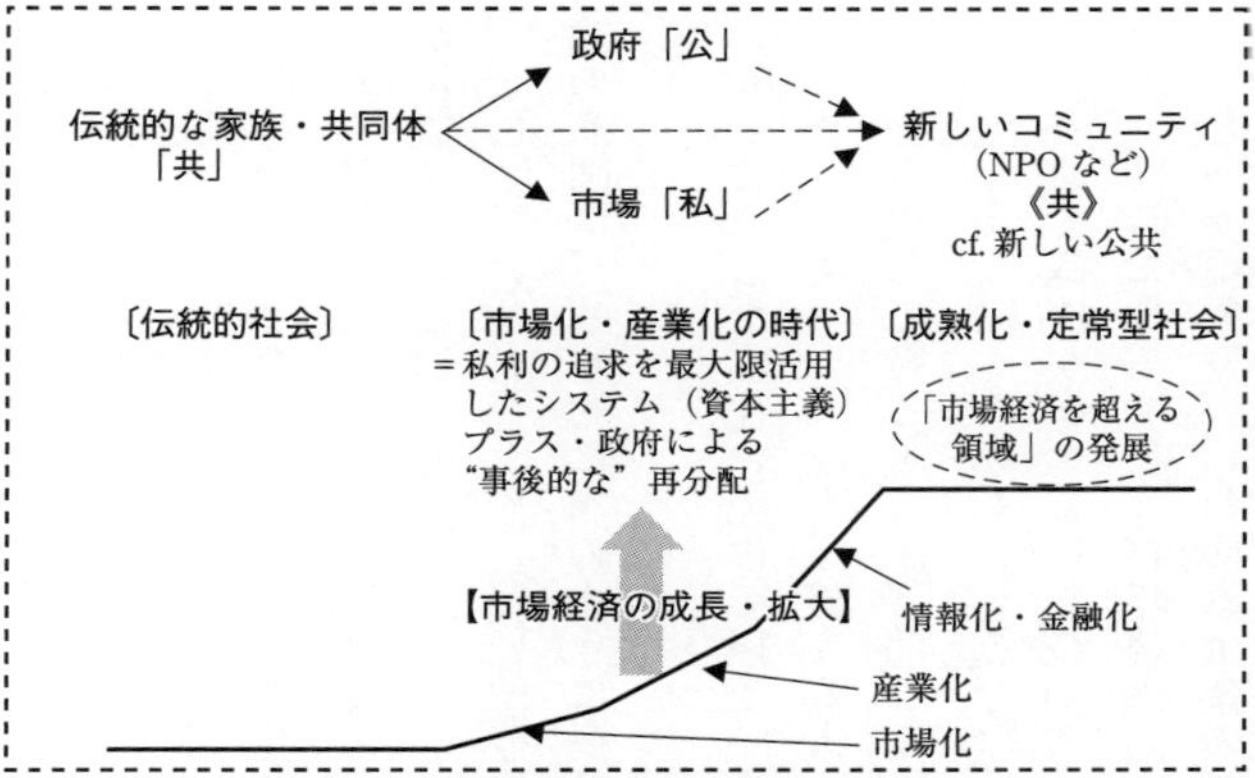

図 5-2 「公－共－私」をめぐる構造変化

―共―私」をめぐる構造変化という基本テーマがある。

議論の座標軸のひとつとして、〃「公―共―私」をめぐる役割構造の変化〃という大きな視点からとらえてみよう。図5-2をご覧いただきたい。市場経済が展開していく以前の（農業を基盤とする）伝統的社会においては、互酬性（reciprocity）を基礎においた、相互扶助的な関係を中心とする共同体が基本をなしていたと考えられる（「共」的なシステム）。同時にこうした社会は、生活様式や技術体系、習俗、規範等においても一定の恒常性を保っており、いわば〃静的な定常型社会〃ともいうべき性格をもつものだった。

一八世紀前後以降の市場化ひいては産業化の展開において、こうした秩序は大きく変容し、一方において私利の追求を積極的なインセンティブとする「私」の領域としての市場経済が飛躍的に拡大し、それとパラレルなものとして、市場に対して様々な介入を行う「公」の領域としての政府部門が展開する。こうした公的部門は当初はいわゆる夜警国家的な形態のものであったが、こうした進化の延長線上に、産業化の後期の時代においては、先ほどから議論しているような「市場経済に対する事後的な補完システム」としての福祉国家が位置することになる。

そして、「公―共―私」の役割構造をめぐるポスト福祉国家（ないし「福祉社会」）の議論の構図は、基本的に次のように概括されるといえるだろう。すなわち、

(a) こうした変化の先に、以上のような「私」とも「公」とも異なる、いわば「新しいコミュニティ」とも呼びうるような、新たな「共」の領域――便宜上、図では《共》と表現している――が展開していく。

(b) 一方でこの領域は、〝新たな公共性（あるいは市民的公共性）の担い手〟として、それまで政府が担っていた役割の一部を代替していく（「福祉社会」論）。

(c) 同時に他方では、市場経済の主体であった企業もまた、「営利と非営利の連続化」という現象や、いわゆる企業の社会的責任（CSR）等といった文脈も含むかたちで、

部分的に《共》の領域の担い手とクロス・オーバーしていく。

というものである。確認的に補足すると、ここでいう「新しいコミュニティ」(《共》)は、伝統的な共同体(「共」)に対し、それがあくまで自立的な個人をベースとする、自発的かつ開かれた性格の共同体であるという点において異なる性格をもつものである。

以上のような議論の大枠の中で、一般的なポスト福祉国家の議論としては、先ほどもふれたように、今後は従来のような単純な「大きな政府」としての福祉国家は相対的に縮減していき、それに代わって〝共〟的な領域――コミュニティや、NPO等の組織、(土地所有や環境などの面での)「コモンズ」等――が重要性を増していくということが論じられる。また前章の議論とも呼応するが、こうした議論は、福祉国家をめぐる領域においても、都市計画(ないし住宅、土地政策)等をめぐる領域においても、パラレルといってよいほど類似した形で展開しているといえる。

私自身の基本的な問題意識を述べれば、私は以上のような方向、特に新しいコミュニティやNPOなど〝共〟的な領域の重要性の増大という点には大いに共鳴するが、ただし一方で、日本の場合、(政府という意味での)「公」の役割がなお脆弱であり、この限りにおいて「公的部門の強化」――これには社会保障など政府の様々な再分配政策や公的規制が含まれる――という点がきわめて大きな課題として残されており、その意味ではヨーロッパにおけるポスト福祉国家論的な議論をそのまま日本に適用するのはミスリーディングであると考えている。この点は、たとえば前章の図4-2にも示されるように、日本における社会保障給付の規模がヨーロッパ諸国と比べて相当に低い水準にあるという点からも確認されるべきだろう。

したがって日本の場合、以上見てきたような、

・〝共〟的な領域の発展（NPO、新しいコミュニティ、コモンズなど）
・公的部門の強化（政府による再分配や規制、土地所有のあり方など）

の両者が重要な課題であり、これに並行して先ほど述べた「公―共―私」のクロス・オーバーということが進展していくことになるだろう。

しかもこうしたベクトルは、社会保障の領域と都市・土地・住宅政策の領域の双方において、それらが互いに相互作用を行う形で展開していくものであり、それらの全体を視野に入れた総合的な政策展開が重要となる。

2 ストックをめぐる格差と土地・住宅政策

以上、これからの社会保障政策ないし福祉国家の基本的な方向として「事後から事前へ」「フローからストックへ」という二つの方向を指摘するとともに、そこでの「公―共―私」のあり方について議論を行った。

こうした視点を踏まえながら、ここからは関心をもう少し現実的な場面に移し、ストックをめぐる社会保障という主題に関する具体的な方向を吟味していきたい。

†ストック（資産）をめぐる格差の動向

まず、全体に関わる前提的な認識として、ストック（資産）をめぐる格差の現状や動向等について既存の統計データ等からいくつかの基本的事実関係を確認しよう。

図5-3は、格差の度合いを表すいわゆるジニ係数の変化（一九八〇年代後半～一九九九年）を、所得及び金融資産・土地資産について見たものであるが、本章の初めでふれたように、基本的に所得のジニ係数よりも資産のジニ係数のほうが一貫して大きく、つまりフローの格差よりもストックの格差のほうが相当に大きいという事実が示されている。

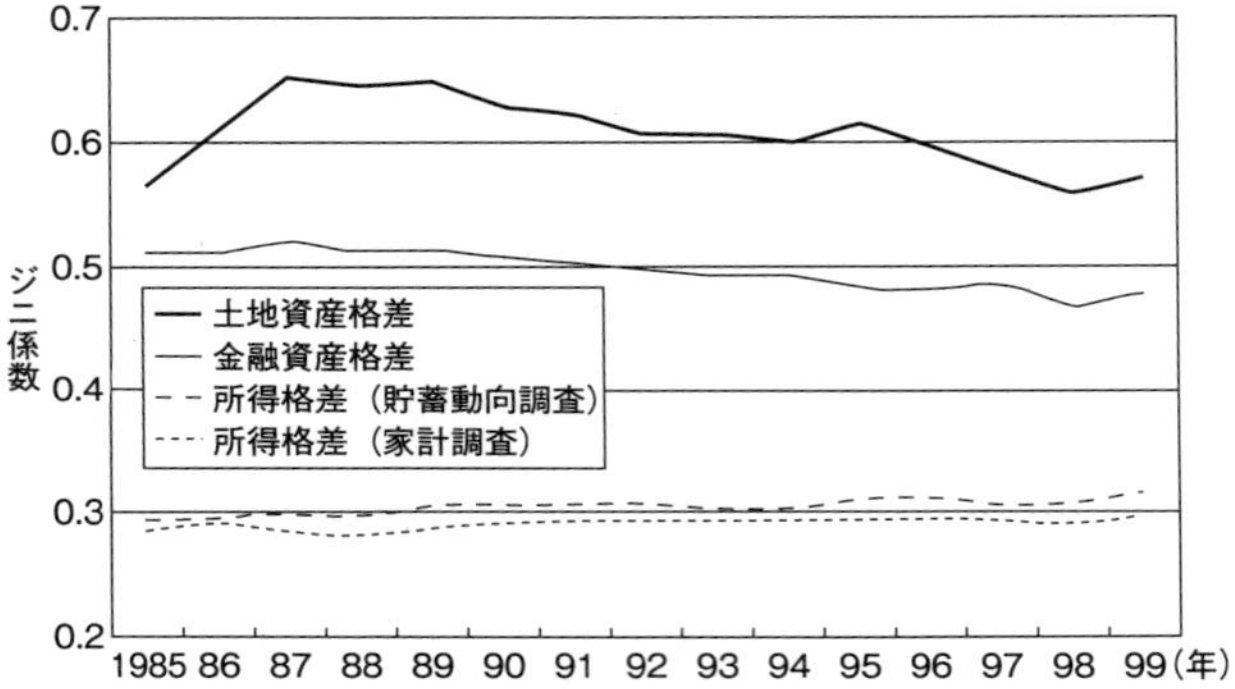

図 5-3　所得と資産に関するジニ係数の動向
（出所）国民生活白書平成 12 年版

一方、資産に関するジニ係数の直近のデータ（二〇〇四年全国消費実態調査）を見ると、

・住宅・宅地資産のジニ係数は〇・五七七（一九九九年）→〇・五七三（二〇〇四年）とほぼ横ばい（微減）であり、

・貯蓄現在高のジニ係数は〇・五四二（一九九九年）→〇・五五六（二〇〇四年）とやや上昇し、

・耐久消費財資産のジニ係数は〇・三六〇（一九九九年）→〇・三六八（二〇〇四年）と同じくやや上昇している、

ということがわかる。

これらについての大まかな把握としては、住宅・宅地資産に関する格差は、土地価格の下落等

を背景に、バブル期前後の頃に比べると基本的にかなり縮小しているが、貯蓄や耐久消費財に関する格差は近年に至って大幅なものではないものの徐々に拡大している兆しがあり（貯蓄資産に関してはバブル期とほぼ同じ水準に回帰）、今後の動向を含めて注意を要するということがいえる。

さらに言えば、住宅・宅地資産のジニ係数に関しても、バブル期以降の低下傾向がある種の〝下げ止まり〟状況となっており、近年の低所得者や非正規雇用者の住宅確保をめぐる問題等を考慮すれば、今後再び上昇に向かう可能性も否定できないと考えられよう。

また、以上見てきたように、そもそも所得（フロー）の格差に比べて資産（ストック）の格差が相当程度大きいということ自体が、公平あるいは平等という観点から見て様々な問題をはらんでおり――特に、本章の冒頭でも言及したように、資産面の格差は親等から引き継ぐ部分が大きく、その本人には如何ともしがたい「格差」であるという点など――、どのようなあり方が妥当であり、それをどのような政策によって実現していくべきかという点が、正面から議論される必要がある。

†自治体に対する土地・住宅政策に関するアンケート調査

以上のような問題意識を踏まえ、各地域における土地・住宅等をめぐる政策の動向や課題を把握する目的で行ったのが、全国の市町村及び都道府県に対する「土地・住宅政策に関するアンケート調査」である（二〇〇八年一〇月～一一月に実施し、①全国市町村一八三四のうち無作為抽出九一七プラス政令市とその区・その他で計一一一八団体、②全国四七都道府県に送付。①については返信数六〇九〔回収率五六・八％〕、②については返信数三六〔回収率七六・六％〕。詳細は広井・大石・加藤［二〇〇九］参照）。以下では本書のテーマに関連する範囲でその一部を簡潔に紹介してみたい。

†土地・住宅に関する重要課題

まず全体に関わる総論として、現在における土地・住宅政策の重要な課題を複数回答で尋ねた質問に対しては、図5-4のような結果が示されている。

もっとも多いのが「空地や空き家の増加」で、次が「公有地の保有・利用のあり方」、続いて「高齢者や低所得者等に関する住宅の確保」、「景観をめぐる課題」、「地籍の整備など所有・権利関係の明確化」等と続く。

「空地や空き家の増加」が一位となったのは、ある意味で予想の範囲内であり、日本社会全体が人口減少期に入り、また少子・高齢化が進む中での基本的かつ（高度成長期にはなかったタイプの）新たな課題といえる。また、そうした傾向とも関連しつつ、高度成長期

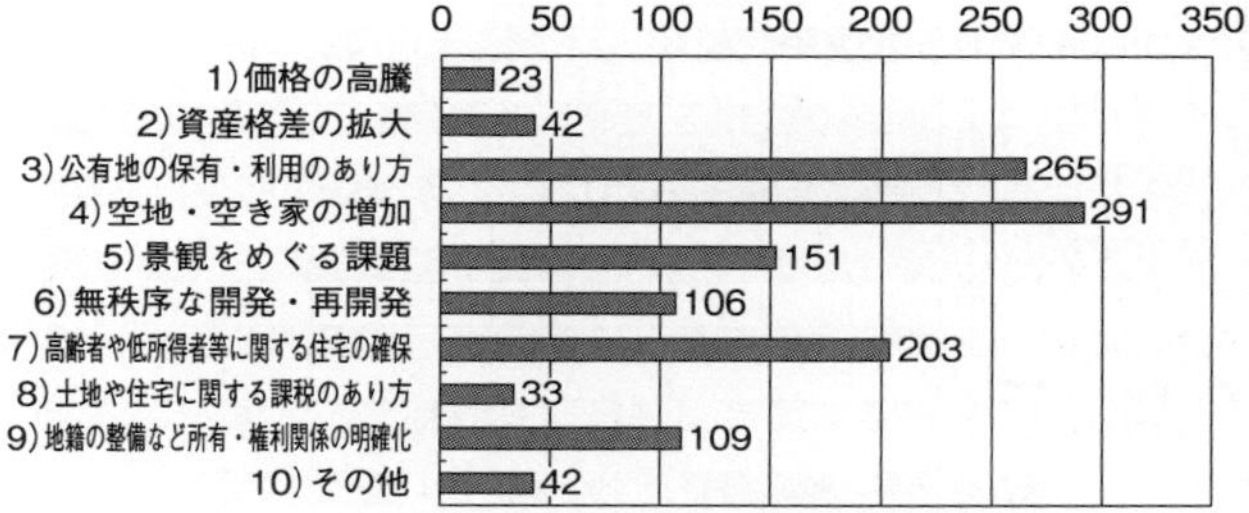

図 5-4　土地・住宅に関する重要課題（市町村）

や九〇年代に増加した公有地が、自治体の財政難とも相まって〝リスク資産化〟する中で、「公有地の保有・利用のあり方」が二位となっているのも、それ自体としては理解しうることである。

　しかしながら、回答を自治体の規模別に見ると少し違った様相が見えてくる。図5-5をご覧いただきたい。これは、回答を①人口五〇〇〇人未満、②五〇〇〇人以上一万人未満、③一万人以上五万人未満、④五万人以上三〇万人未満、⑤三〇万人以上、⑥三大都市圏・人口一〇〇万人以上という自治体の人口規模別に見たものである。これを見ると、（第2章や第3章で述べた「福祉地理学」という視点とも関連するが）人口規模によって課題の現れ方がかなりの程度異なっていることが見て取れ、特に以下のような点が特徴的である。

(1)「空地や空き家の増加」は、特に人口規模の小さい

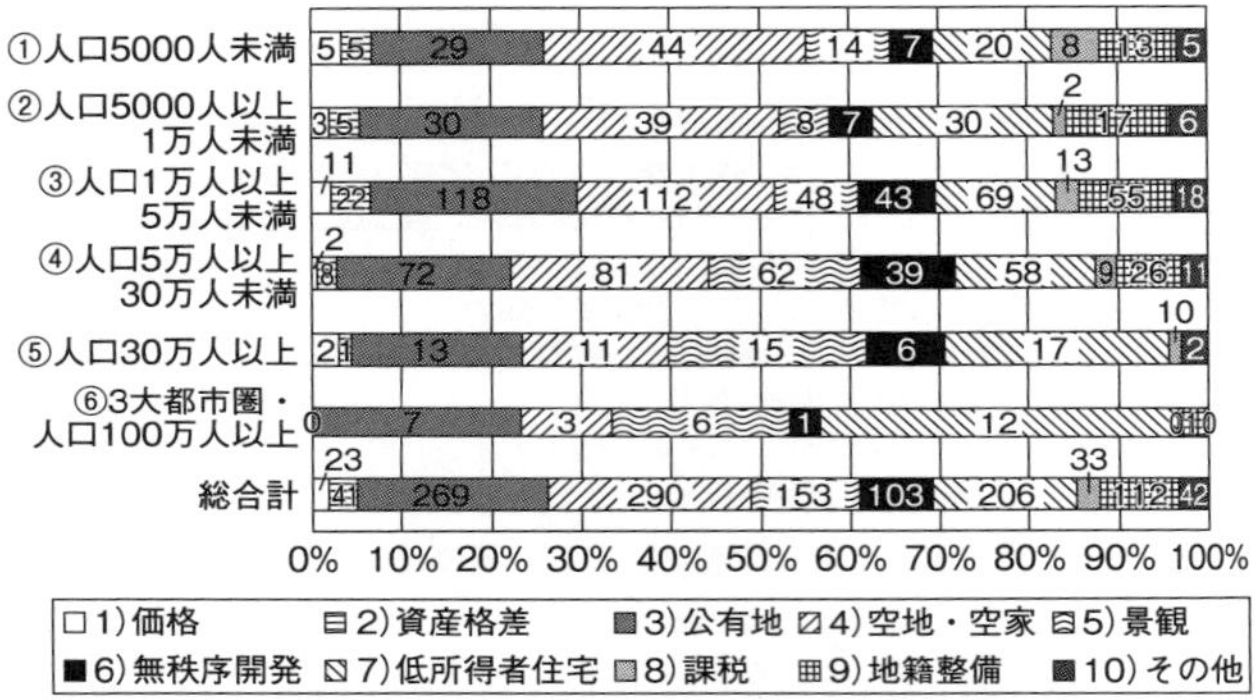

図5-5　土地・住宅に関する重要課題——人口規模別

市町村で大きな課題となっており、大規模な都市圏域ではその順位は比較的低い。

(2)　「高齢者や低所得者等に関する住宅の確保」も自治体による違いが大きく、特に人口三〇万人以上の自治体、とりわけ三大都市圏においては、これが重要課題の第一位となっている。

以上のうち、本章での「ストックをめぐる社会保障」というテーマの関連で特に重要なのは(2)であり、この点は後でもう少しくわしく議論してみたい。ちなみに都道府県の回答では、「高齢者や低所得者等に関する住宅の確保」が土地・住宅政策をめぐる課題の一位となっていた。これは都道府県が域内の都市部に公営住宅を多く保有していることや、行政事務の中での住宅政策の相対的な比重の大きさ等が背景にあると考えられる。

次に、前章でも話題にした「公有地」の保有・利用に関する設問では、市町村全体の回答では、「公有地を縮小・合理化していく」(三八%)と「公有地の保有・利用のあり方について検討中である」(三三%)が多数派を占めた。

先ほども記したように、財政難や人口減少、少子・高齢化等といった構造変化を背景に、多くの自治体では(高度成長期や九〇年代前後に拡大した)公有地を持て余し気味であり、現在の基調は、売却等を通じていかにそれらを縮小していくかという点にあるだろう。こうした状況からすれば、一位が「縮小・合理化」、二位が「検討中」というのは十分にうなずける結果といえる。しかしはたして公有地という存在について、単純な縮小・合理化でよいのか――言い換えれば、より有効で積極的な意味をもった公有地の活用のあり方を考えていけるのではないか――という点が本書での問題意識のひとつでもあり、この点は次節であらためて吟味したい。

「住宅」に関して見てみよう。住宅は、アメリカに発する金融危機等を受けた二〇〇八年の秋以降の景気後退と非正規労働者等の解雇、そしてそこでの住宅確保の問題等にも示されているように、ストック面の生活保障や格差という問題がもっとも顕著に現れる分野である。そしてこうした文脈で、公営住宅等のあり方が新しい意味や局面を迎えているということができる。

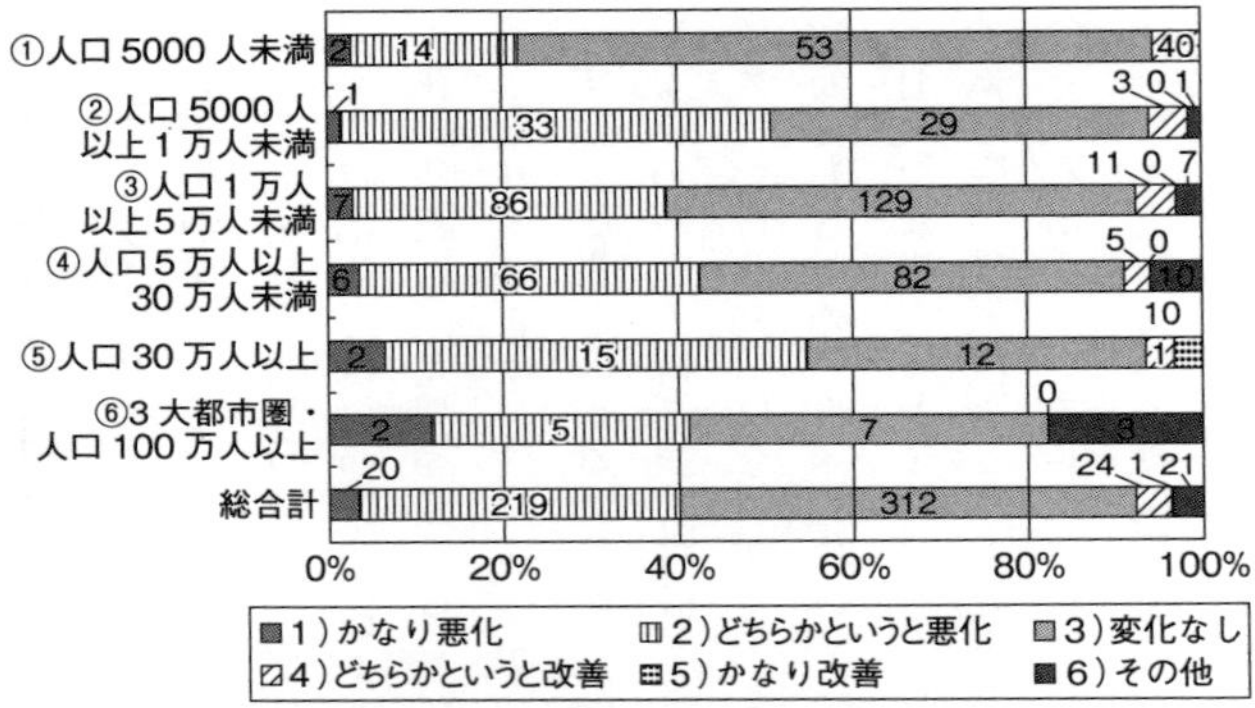

図 5-6　高齢者や低所得者等に関する住宅の確保をめぐる近年の状況 ── 人口規模別

さて、「高齢者や低所得者等に関する住宅の確保をめぐる近年の状況」についてどのように認識しているかという設問に対しては、市町村の全体では①かなり悪化している（三％）、②どちらかというと悪化している（三七％）、③あまり変化はない（五二％）、④どちらかというと改善している（四％）、⑤かなり改善している（〇％）、⑥その他（四％）という結果だった。

しかしこの点を市町村の人口規模別に見ると若干異なる様相が見られる。図5-6がそれで、これを見ると、特に人口三〇万人以上の比較的大きな都市圏域と人口五〇〇〇人以上一万人未満の自治体では、高齢者や低所得者等に関する住宅確保の状況が「どちらかというと悪化している」との答えが最多となっている。この点は、先の土地・住宅政策全般の重要課題に関する問いで見たように、人口三〇万人以上の自治体においては「高齢者や低所得者等に関する住宅の確保」という項目が土地・住宅に関する重要課題の第一位となっていることと呼応しているといえるだろう。

では、こうした状況に対してどのような対応や政策がとられるべきか。この場合、明らかにキーポイントのひとつとなるのは公営住宅等のあり方であるが、公営住宅に関する今後の方針についての設問に対しては、図5-7のような結果となった。もっとも多いのは「現状維持」で、次が「量的には増やさないが質的な改善を図る」となっており、「現状よりも縮減していく」がそれに続く。「現状よりも拡充していく」はごく少数である。

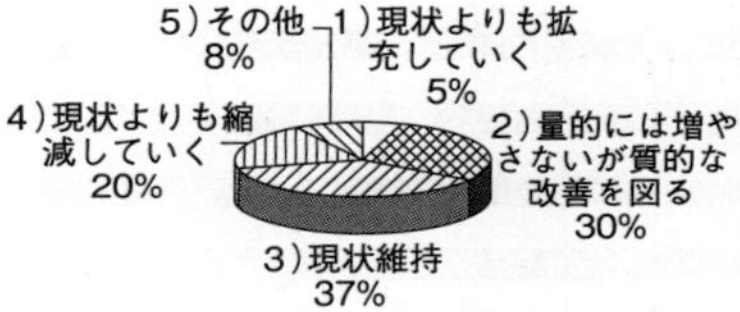

図5-7　公営住宅についての今後の方針

これは、次節であらためて整理するが、いわゆる〃小泉改革〃等の流れの中で公営住宅や公団住宅等の役割が基本的に縮小される方向での展開が進んできた近年の動きからすれば、ある意味で予想された結果ともいえる。しかしながら、先ほどの（特に大都市圏において）高齢者や低所得者等の住宅の確保の問題が大きくなっていることとはどのように関連づけられるのだろうか。

そこでやはり人口規模別で見てみると、図5-8のような結果が示

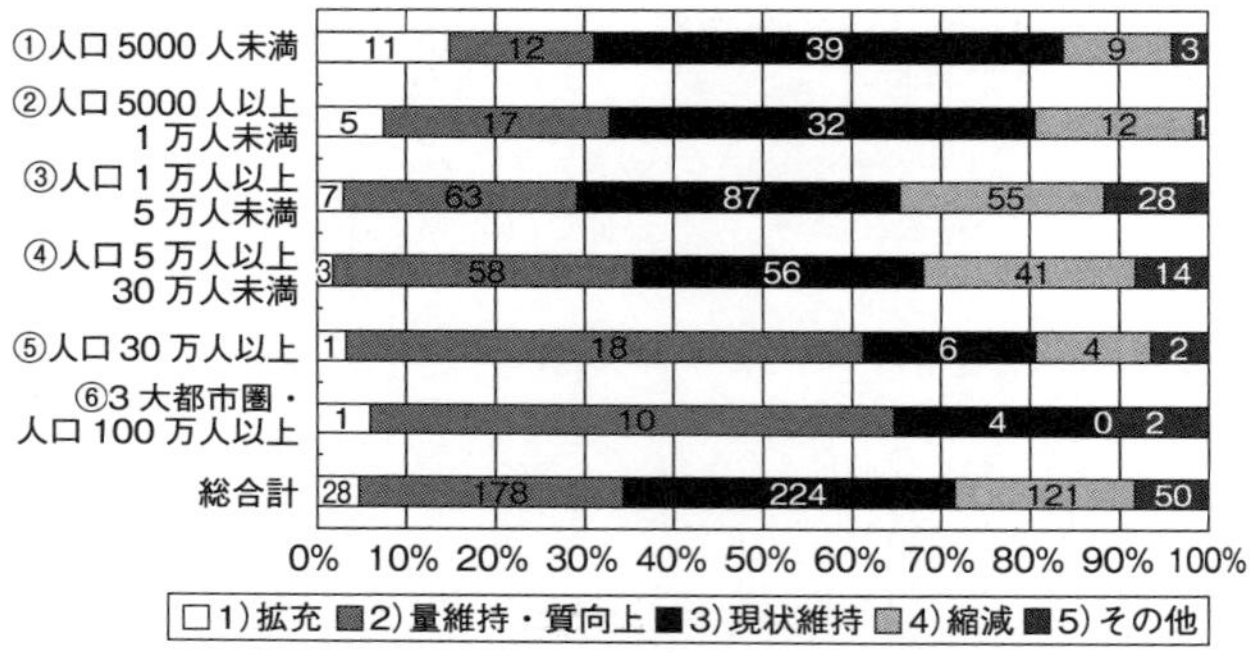

図 5-8　公営住宅についての今後の方針――人口規模別

された。

この結果は、いくつかの興味深い内容を含んでいる。まず、人口三〇万人以上の自治体では、「量的には増やさないが質的な改善を図る」が際立って多く、「現状維持」は比較的少数で、自治体全般の傾向に比べれば公営住宅の改善に対して（量的な拡充ではないものの）比較的積極的な姿勢が見られる。一方、「拡充」と答えた割合が比較的大きいのは、ある意味で意外なことに、もっとも小規模の自治体となっている。

なぜこのような結果になるのだろうか。若干解釈が入るが、次のような理解はあながち的外れではないと思われる。すなわち、比較的大規模な自治体の場合は、一方で先に見たように高齢者や低所得者等の住宅確保の問題が重要な課題となっており、しかし他方で公営住宅の整備は量的には一定程度行ってきていたり、あるいは財政的な問題等から、対応は基本的に（量的な拡充よりも）「質的な改善」が中心となっている（それが妥当か否か、あるいは十分なものといえるか後に議論したい）。

これに対し、（人口五〇〇〇人未満のような）小規模な自治体の場合は、高齢者や低所得者の住宅確保という問題はさほど生じていないが、先ほど公有地のところでも少しふれたように、若者など人口流出や少子・高齢化といった状況の中で、住宅をテコにして若年層や子育て世帯、現役世代等を呼び寄せようという動きがあり、そうした背景から公営住宅を「拡充していく」と答える自治体が比較的多いと考えられるのである。実際、自由回答欄でも「少子高齢化による地域活力の低下を防ぐには、外部からの若者（夫婦）世帯を呼び込むことが大切であり、中山間地域に若者定住のために『U・Iターン者用住宅』を整備し、少子高齢化と人口減少に歯止めをかけ地域コミュニティを維持していきたいと考えています」（中津川市）といった回答が見られた。

つまり全体として見ると、公営住宅というもののもつ意味やそれをめぐる課題のあり方が、小規模の（主に農村部の）自治体と比較的大規模の都市圏域の自治体とで大きく異なっていると同時に、しかし異なる形ではあれ公営住宅というもののもつ新たな意義ないし重要性が生じている、ということである。

一方、今回の調査では「空間格差」についても問題にした。具体的には質問文の中で

「空間格差」を「低所得者層が特定の地域に集中したり、所得等によって居住地域が大きく異なってきたりすること」と暫定的に定義した上で、そうした空間格差の状況について問いを投げかけた。「空間格差」という言葉は必ずしも一般に広く使われる言葉ではなく、また先の「資産格差」以上にその把握方法や基準等が明確でないため、ある種の実験的な意味合いも意識しながらこの設問を行ってみたのである。結果は、①重大な課題となっており、一定の政策的対応を行っている（一％）、②課題となっているが、政策的対応には至っていない（七％）、③特に課題となっていない（九一％）、④その他（一％）となり、ある意味で予想通りというべきか、大半が「特に課題となっていない」という回答だった。ただし人口規模別に見ると「重大な課題となっており、一定の政策的対応を行っている」との回答が、たとえば人口五万人以上三〇万人未満のカテゴリーでは五自治体で見られた点は若干留意を要する。この「空間格差」という話題についても次節でさらに吟味したい。

3　福祉政策と都市政策の統合──「持続可能な福祉都市」へ

本章では、これからの社会保障政策あるいは福祉国家に関する基本的な方向について議論をまず行い、続いて資産（ストック）をめぐる格差に関する事実関係を確認した上で、自治体における土地・住宅政策の動向を概観した。これらを踏まえて、今後の社会保障や土地・都市・住宅に関する具体的な政策のあり方を吟味したい。

今後の政策として重要となると考えられるものを、まず列挙すると以下のようになる。

(1) 「人生前半の社会保障」の強化

(2) 住宅の保障機能の強化

(3) 福祉（社会保障）政策と都市政策の統合——「持続可能な福祉都市」へ

(4) 課税・財源のあり方

以下これらについて考えていこう。

†「人生前半の社会保障」の強化

これは、1で今後の社会保障の方向として指摘したうちの「事後から事前へ」という点に関わるものだ。ただし、この点は筆者がこれまで様々な形で議論を行ってきた話題でもあるので（広井［二〇〇六］）、ここでは簡潔な指摘にとどめたい。

振り返ってみれば、九〇年代から最近までの日本の社会保障論議はほぼ〝高齢者関係〟

に集中していた（年金、介護、高齢者医療等）。その理由は簡単で、それは人生における様々な「リスク」が退職期＝高齢期にほとんど集中していたからである。その背景には、終身雇用の「カイシャ」と強固で安定した「（核）家族」という、現役時代の生活保障を強固に支える〝見えない社会保障〟の存在があった。しかし日本について見れば、九〇年代後半頃からそうした構造は大きく崩れ、もっとも失業率が高いのが（高齢世代ではなく）一〇～二〇代の若者であることなどにも示されているように、リスクが人生の前半ないし中盤にも広く及ぶようになっている。

また、「人生前半の社会保障」が重要になっているもうひとつの大きな背景は次の点である。それは、近年の日本で様々な面での経済格差が徐々に大きくなり、その結果、各個人が人生の初めにおいて〝共通のスタートライン〟に立てるという状況が大きく揺らいでいるという点だ。

以上のような背景から重要となってくるのが「人生前半の社会保障」という視点とその強化である。ここでの「人生前半の社会保障」は、子ども・家族関係、若者関係、積極的雇用政策、失業保障、住宅関連、障害関連等を広く含むとともに、重要な要素として「教育」が深く関連している。個人の人生における最大の資産となり、また失業などの生活リスクを減らす最大の要因となるのは教育であるからである。

ここで、図5-9及び図5-10はそうした人生前半の社会保障及び公的教育支出の規模を国際比較したものだが、主要国の中で日本がもっとも低くなっている。このうち人生前半の社会保障について、前章で見た社会保障全体の国際比較以上に日本の低さが目立つのは、

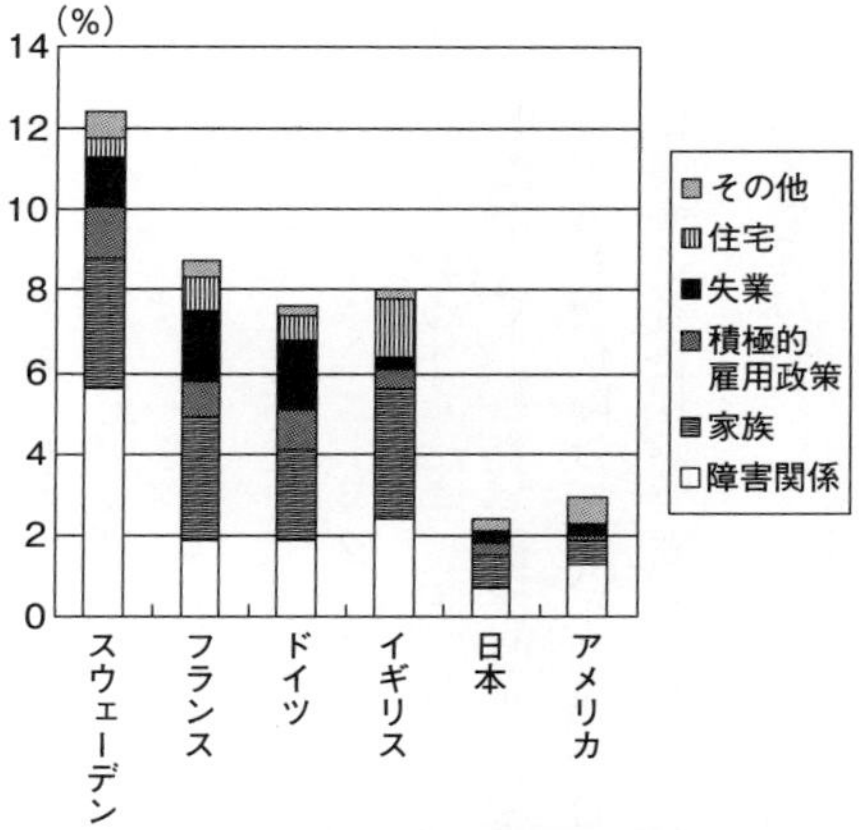

図 5-9 「人生前半の社会保障」の国際比較（対 GDP 比、2005 年）
（出所）OECD データ

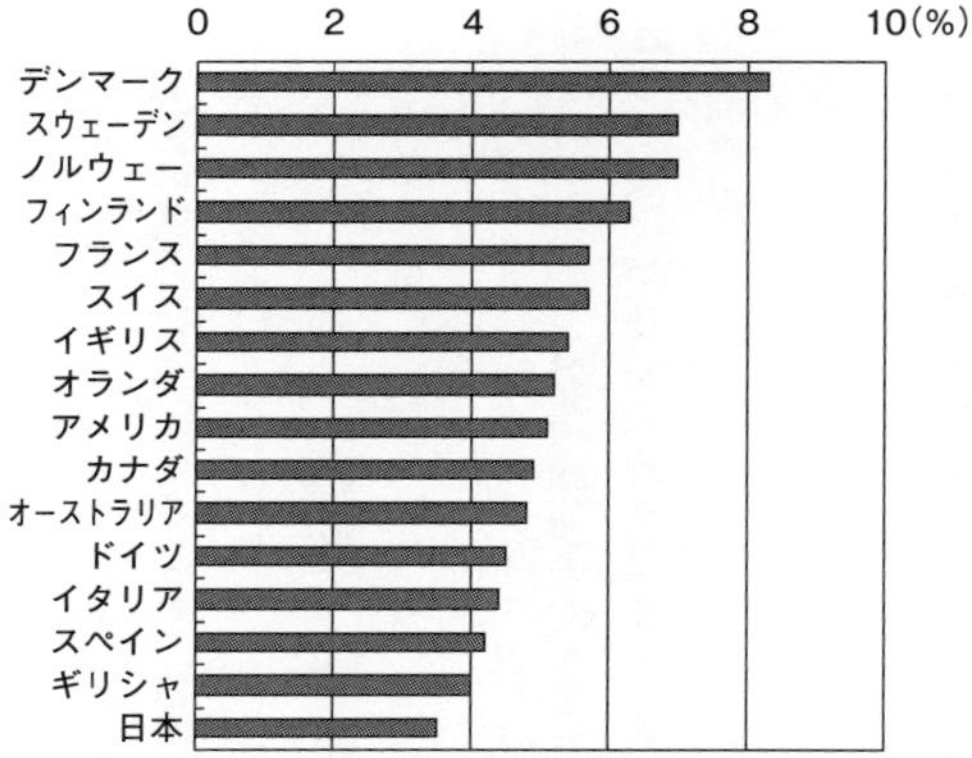

図 5-10 公的教育支出の国際比較（対 GDP 比、2005 年）
（出所）OECD データ

日本の社会保障においては社会保障全体のうち高齢者関係が六九・八%を占めており(二〇〇六年度)、高齢者以外の社会保障が非常に手薄だからである。また公的教育支出については、日本は先進国(OECD加盟国)二八カ国中で最低となっている(社会保障の規模では日本より小さいアメリカも公的教育支出は一定以上の高い水準にある)。

先ほど論じたように、人生の初期段階の個人の(フローとしての)活動は、後の人生の段階においては「ストック」として蓄積されまた活用されることが多いので、「事後から事前へ」という方向と「フローからストックへ」という方向は互いに重なり合う面が大きい。したがって、教育、積極的雇用政策(職業訓練や若者に関する雇用関連の支援等)、住宅等に関する社会保障は、「人生前半の社会保障」として強化が必要であるとともに、「ストックに関する社会保障」という観点からも重要な役割を担っている。

†住宅の保障機能の強化

前節で概観した自治体アンケート調査からは、特に大都市圏や都道府県レベルを中心に、高齢者や低所得者等に関する住宅の確保という課題が(その状況が概して悪化傾向にあることを背景として)きわめて重要度の高い政策課題となっていることが示されている。一方、対応の方向としては「拡充」は少数で、「量的には増やさないが質的な改善を図る」が多数となっていた。

あらためて基本的な確認を行うと、戦後日本の住宅政策は、(a)公営住宅（賃貸）、(b)公団住宅（一九五五年の日本住宅公団創設以降。賃貸及び一部分譲）、(c)住宅金融公庫（持ち家への融資）を三本柱にして展開してきた。しかしながら、農村における共同所有（コモンズ）や大地主制が、戦後は土地・住宅の細分化された私的所有（持ち家政策）に向かったこともあって、前章で見たような、オランダをはじめ戦後ヨーロッパが福祉国家政策とパラレルに展開していったいわゆる〝ソーシャル・ハウジング（社会住宅）〟ないし住宅の社会化という政策は進まなかった。

この結果、上記(a)〜(c)自体も不足の多いものであったことに加え、近年いわゆる「小泉改革」の下での民営化の流れの中で、以上すら縮減・廃棄される方向の政策が実施されてきたのがここしばらくの経緯であった（本間［二〇〇四］、［二〇〇六］、小玉［一九九九］、日本の土地百年研究会編著［二〇〇三］等）。

また、従来様々な形で指摘されてきた点であるが、戦後日本の住宅政策は、上記の量的な不十分さに加え、（いわゆる厚生省と建設省の縦割りという背景も加わって）他の政策分野と同様に、経済成長のための経済政策（ないし開発政策）の一環という性格が強く、それが福祉政策ないし社会保障政策ないし社会政策の一部門として位置づけられるという側面が希薄であり、低所得者や母子家庭等の脆弱な層への「住宅の生活保障機能」という面がどうしても後退しがちであった。

言うまでもなく住宅は、先ほどの「人生前半の社会保障」の主要な要素であると同時に「ストックに関する社会保障」の中心的な柱のひとつであり、他方、近年の経済格差の拡大や、高齢者そして非正規雇用者・失業者等の低所得層の拡大の中で、住宅の保障という課題が新たな文脈で浮上し、また大きな社会的関心を呼んでいることも言うまでもない。

以上のようなことから、「住宅の（生活）保障機能」という点を正面から位置づけ、また「ストックに関する社会保障」の重要性という新たな視点を踏まえた上で、公営住宅・公的住宅等の役割の強化を図っていく必要がある。

この場合、単純に公的住宅等の数を増やせば問題は解決するというものではないにせよ、基本的な方向として、日本における公的住宅等（ないし社会住宅）の割合を、たとえば一〇％前後の水準にまで拡充するといった大きな方向が考えられてよいのではないだろうか（社会住宅の割合の国際比較に関する前章の図4-1参照）。これは、社会保障において、すでに確認したような日本の社会保障給付の低さという点を踏まえた上で、基本的にその底上げが求められているということとパラレルなものである。

もちろん、財政的な問題の他に、少子・高齢化や人口減少の中で公的な住宅ストックを増やすこと自体のそもそもの妥当性という論点が存在するが、自治体アンケート調査で見たように、人口減少や若者流出等の問題を抱えている地方の小規模な自治体こそが、若年層や子育て世代の流入を図る方策のひとつとしてむしろ公的な住宅の拡充を図ろうとしているという動きがあり、単純に少子・高齢化だから公的な住宅ストックは減らすべきとの議論にはならないだろう。

また、後で福祉政策と都市政策の統合ということを論じるように、そうした公的住宅を中心部その他に空間的な視点を考慮しながら整備することが、高齢者福祉や空間格差の是正など福祉的な観点と同時に、中心市街地の活性化やコミュニティ形成、地域再生といった観点からも（道路建設等の大規模な公共事業よりも）有効かつ費用対効果の高い施策となりうるという点を銘記すべきだろう。

この場合、たとえば以下の自治体コメントにあるように、ただハード面の整備を行えばよいという問題ではなく、「コミュニティ」という視点が重要となるとともに、後でも論じるように、それが低所得者等の特定階層の隔離（segregation）といった方向とならないよう、様々な層の混在という点を重視することも併せて必要である。

「公営住宅の再生問題だけでまちづくりといっても実現は難しい。……地域住民の活動と、公営住宅の整備がうまくリンクするような仕組みを構築することが大切で、そこから住民相互の連携やネットワークが生まれ、整備された公営住宅を中心に地域コミュニティの発展が図られる。」（長岡京市、人口七万九〇〇〇）

先に「公—共—私」の役割分担のあり方というテーマについて論じた点と関連するが、こうした「コミュニティ」という要素を重視するならば、政府ないしその関連組織による住宅という意味での公的住宅と並び、「共的」な性格を重視した住宅のあり方が同時に追求・発展されていくべきだろう（コレクティブ・ハウジング等の試みや「コモンズ」をめぐる議論など。齊藤・中城［二〇〇四］、平竹［二〇〇六］参照）。

なお団地に関しては、自治体アンケートでも多くの言及があり、またすでに多くの議論がなされているように、〝都会型限界集落〟と呼ばれるような高齢化や孤独死等の問題が存在していることは言うまでもない。たとえば高島平団地での大東文化大学の団地再生プロジェクト（団地の部屋のいくつかを大学が借り上げ学生や留学生が居住するとともに、ボランティア活動など様々なコミュニティづくりの活動を行う等の試み）が注目されているように、大学との連携を含め、若い世代や子育て世代などの入居促進等を通じて世代間交流や世代ミックスを図っていくことが大きな課題となる。

†公有地の積極的活用――土地所有・利用の社会化へ

以上のような点を含めて、今後の重要な課題として指摘したいのは「福祉（社会保障）政策と都市政策の統合」という視点であり、具体的な政策の方向として、①公有地の積極的活用、②都市計画の強化と福祉政策との連動、③空間格差や社会的排除を生みにくい都市のあり方、ということを挙げたい。なおこれから述べるように、この①〜③は相互に深く関連し合うものである。

このうち①の「公有地の積極的活用」は、先に見た全国自治体アンケートでも論点のひとつとしていた点である。事実関係を確認すると、表5-1は日本の土地の所有主体別の面積とその割合の推移を見たものだが、国有地の割合は一九七五年度から二〇〇六年度にかけてほとんど変化がないのに対し、公有地（ここでは国有地を除く、自治体所有の土地）の割合は同じ時期に六・二％から九・六％へと大きく増加していることが示されている。特に、それは一九九五年度から二〇〇〇年度にかけて大きく増加している。

おそらくこの背景としては、バブル崩壊後の一九九〇年代の不況期において、中央政府が公共事業等を中心とした様々な景気刺激策を行ったが、一方で国の財政難もあり、従来型の国独自の事業としてよりもむしろ、自治体が様々な公共事業等を行い（この中には多

表 5-1　土地の所有主体別面積・割合の年次推移

（万 ha、%）

		1975年度	1980年度	1985年度	1990年度	1995年度	2000年度	2005年度	2006年度
国公有地		1,102 (33.7)	1,110 (34.0)	1,109 (34.0)	1,112 (34.3)	1,121 (34.8)	1,191 (37.1)	1,183 (37.0)	1,184 (37.0)
	国有地	900 (27.5)	897 (27.5)	896 (27.5)	895 (27.6)	894 (27.7)	893 (27.8)	877 (27.4)	877 (27.4)
	公有地	202 (6.2)	213 (6.5)	213 (6.5)	217 (6.7)	227 (7.0)	298 (9.3)	306 (9.6)	307 (9.6)
私有地		2,170 (66.3)	2,156 (66.0)	2,150 (66.0)	2,133 (65.7)	2,102 (65.2)	2,017 (62.9)	2,018 (63.0)	2,015 (63.0)
合計		3,272 (100.0)	3,266 (100.0)	3,259 (100.0)	3,245 (100.0)	3,223 (100.0)	3,208 (100.0)	3,201 (100.0)	3,199 (100.0)

（出所）土地白書　資料：財務省「国有財産増減及び現在総計算書」、総務省「公共設備状況調」により、国土交通省で集計。
注1：国公有地は「財政金融統計月報」及び「公共設備状況調」から求め、私有地については、国土交通省が調査した合計面積から国公有地を差し引いた残りとしている。
注2：面積は、各年度とも年度末（3月31日）の数値である。
注3：国土面積として、この他に道路等が約580万 ha あり、国土面積全体で3,779万 ha となっている（平成18年）。

くの〝ハコモノ〟整備が含まれていた）、それを各種の特別会計等を通じて助成する形となり、そうした様々な事業実施の中で公有地が拡大したものと考えられる。

ちなみに、国土交通省の「公的不動産の合理的な所有・利用に関する研究会（PRE研究会）」中間とりまとめ（二〇〇八年三月）は、「特に、高度経済成長期において、公的セクターは、公共施設に対する需要の拡大を踏まえ、土地を買い進め、施設の建設を進めてきた」としているが、公有地は一九六〇年代〜七〇年代前後のいわゆる高度成長期に増加したほか、上に見たように一九九〇年代後半に再度の増加期を経験したことになる。

こうした経緯を受け、また九〇年代以降の経済の構造的な低成長や、自治体の財政赤字、あるいは少子・高齢化の進展等の中で、国や自治体が保有する土地ないし公的不動産が「リスク資産化」し、また空き地等が増加する中で、公有地の保有・利用に関する基本的な見直しがなされるようになり、上記のような研究会も開催されるに至っているわけである。

実際、自治体アンケート調査でも、公有地の保有・利用に関する設問では、先述のように市町村・都道府県ともに「公有地を縮小・合理化していく」と答えた自治体が最多となっていた。ただし、これについては市町村の規模によって大きな差があり、小規模な自治体の場合は「現在の公有地を保持しつつ、様々な用途に積極利用していく」という回答が多いという傾向が見られた。そのひとつの背景は、小規模な自治体(農村部)の場合は、若者流出や人口減少等が基本的な課題となっており、人口の流入・定着を図る政策ツールのひとつとしても、(公営住宅等を含め)公有地の効果的な活用が政策課題であるという点がある。

以上のような状況を踏まえた上で、私自身のスタンスとしては次のように考えたい。すなわち、上記のように現在の情勢下において、多くの自治体が公有地をリスク資産的にとらえ、それらを売却・合理化しようとする傾向にあることは確かに十分理解できることであり、そうした方向はある程度行われてよいと考えられるが、同時に、むしろ現在のような時期を地域コミュニティ再構築のひとつのチャンスととらえ、公有地を福祉政策・コミュニティ政策・都市政策の有効なツールとして積極的に活用していくことが重要なのではないか。

この場合、単体のハコモノ作りを中心とした「ハード」主導の施策ではかつての失敗を繰り返すのみであり、福祉・環境等の分野の新たな課題に対応し、ソフトとハードをうまく組み合わせた政策が課題となる。また、この場合の「公有地」は、さしあたり国や地方自治体の所有地を指しているが、先に「公―共―私」の役割分担について論じた際に今後における「共」的領域の重要性に言及したように、これからの時代はいわゆるコモンズなど共同所有のもつ重要性や価値が再評価されまた積極活用されていくべきであり、そうした様々な試みも同時に視野に入れられるべきである（コモンズや土地の共同所有について平竹［二〇〇六］、五十嵐［二〇〇六］等参照）。

さらに、こうした公有地の積極的活用ということを第2章で論じた「コミュニティの中心」というテーマと併せて考えると、公有地などを活用して「コミュニティの中心（ないし拠点）」としての機能をもたせると同時に、それを世代間交流、環境保全活動、福祉・

医療、生涯学習等の活動場所として生かしていくこと（この場合、企業や共的セクターとも連携）が、コミュニティや地域再生において重要な意味をもちうるだろう。

この場合、世代間のバランスや世代間交流、そして世代的継承性という点に注目することが重要であり、なぜならコミュニティというもののひとつの本質は、そうした世代的な継承性にあると考えられるからである。文字通り「持続可能な」地域社会ということであり、そうした視点が今後の地域再生やコミュニティ政策において求められている。先ほどふれた団地再生もそれと関わり、またたとえば横浜市が進めている「一世代で終わらない町」づくりプロジェクトはそうした例といえるだろう（横浜市［二〇〇八］参照）。

†「福祉都市」の視点

そして、以上とも密接に関連するのが、「都市計画の強化と福祉（社会保障）政策との連動」という課題である。

これまで日本においては、福祉ないし社会保障政策と、都市計画などを含む都市政策とは、互いにあまり関連のない異質の分野としてとらえられることが多く、概してバラバラに政策の展開等が行われてきた。その背景としては、行政の縦割りに加え、

・都市政策……「開発」主導、ハード中心の思考
・福祉政策……「場所・空間」という視点が希薄、制度ないし個々のサービス中心の思考

といった対照が顕著であったことが挙げられるだろう。

しかしながら、たとえば福祉というものは、決して制度としての社会保障や再分配、様々な福祉施設の量的な整備といったことに尽きるのではない。これまで別のところでも述べてきたことだが（広井［二〇〇六］等）、ヨーロッパの街などで過ごすと、高齢者などがカフェで談笑しながらゆっくり時間を過ごしていたり、市場などで人々と会話しながら買い物を楽しんでいたりといった光景をごく自然に見かける。これに対し、日本やアメリカの都市は、「自動車中心」ということもあって、〝生産者〟本位にできているという印象が非常に強い。

やや脱線するが、私はアメリカ東海岸のボストンに計三年（一九八〇年代末の二年間と二〇〇一～二〇〇二年）暮らした。ボストンはアメリカの中ではもっとも〝歩行者中心〟にできている都市と言われているけれども――たしかにロサンゼルスやシカゴなどアメリカの大都市一般に比べればそうだろう――、ごく一部の観光スポットを除いて街が完全に「自動車中心」にできており、ヨーロッパの街などのように「歩いて楽しめる」エリアが

少なく、両者（アメリカとヨーロッパ）の街のあり方の根本的な違いをいつも感じていた。八〇年代末の時は自動車を買って郊外に住んでいたが、二〇〇一年の時は自動車をもっていなかったので、このこと（自動車中心に街ができていること）をとりわけ痛感した。ヨーロッパの都市の中心部にあるような、歩いてゆっくり過ごせるような商店街がほとんど存在しないため、自動車で郊外のショッピングモールに行くという手段がないと、生活の利便性は著しく下がるのである。

しかも、貧富の差の大きさやそこから来る犯罪率の高さもあって、中心部とその周辺には、窓ガラスが割れたまま放置されている建物が並んでいたり、ゴミが散乱していたりするような場所がそこかしこにある（二〇〇一年に私が住んでいた場所の周辺もそうだった）。加えて、治安の悪さも手伝って、日が暮れるとボストンコモンと呼ばれる公園周辺を含めて街の中心部は閑散として、半ばゴーストタウンのようになる。

アメリカの都市は、（前章でも少しふれたように）ある意味でハードの都市計画自体は比較的しっかりしているので、建物のハード面や外見だけに目を向けるとそれなりに景観も悪くないのだが、上記のような自動車中心ということや、経済格差など社会経済的な状況から、ともかく街が実に味気ないものに――というより荒廃したものに――なっている。アメリカの街に少しでも滞在すれば明らかであるようなこうしたことが、なぜか日本ではあまり紹介されていないように思われ、場合によっては、アメリカの街づくりの長所や〝成功事例〟が必要以上に強調されたりしているように思われる。

一方、戦後の日本はあらゆる面でアメリカをモデルとして社会の仕組みを作っていったから、自動車あるいは道路中心の街、商店街の空洞化等々、皮肉にもアメリカで起こったことが数年のタイムラグで起こるということが広く見られる。アメリカほど事態は深刻化していないと私自身は思っていたが、近年の動向を見るとそれも危うくなっている。

いずれにしても、都市政策や街づくりの中に「福祉」的な視点を、また逆に福祉政策の中に「都市」あるいは「空間」的な視点を、導入することがぜひとも必要なのである。この場合の「福祉」はかなり広い意味であり、①格差や貧困などの社会経済的要素もあれば、②高齢者や障害者を含めて人々が歩いてゆっくり楽しめる等といった要素、さらに③様々な世代のコミュニケーションや先ほどもふれた世代間の継承性といった要素を広く含んでいる。

したがって、今後は都市政策と福祉（社会保障）政策を総合的な視野の中でとらえ、それらが複合した形での施策の展開を行っていく必要がある。この場合、そうした具体的イメージとして考えられるのは、たとえば、

・中心部に高齢者住宅や福祉施設等を計画的に整備・誘導し、福祉の視点と地域再生・コミュニティ活性化等の視点を複合化する
・「空間の整備」と「フローの再分配」を切り離して考えるのではなく、その〝再融合化〟を図る（たとえば住宅に関する保障において、住宅手当等による金銭的な助成もさることながら、いわゆる社会住宅としての住宅整備を公的に行う。かりに住宅手当等での対応とする場合でも、単に金銭面だけの視点のみならず、そうした助成を行う住宅の場所が中心部にある等、空間的な視点を併せて重視する）

といったことである。

二〇〇九年三月に、群馬県の老人施設（「たまゆら」）が全焼し入居者が一〇名死亡するという悲惨な事件が起こったが、入居している高齢者の多くは実際には東京都の住民であった。これは、いま述べた「街の中心部に高齢者施設等が少ない」ということに関連すると同時に、土地の価格の高さから都内にそうした施設が作りにくいという土地問題が背景にある。まさに先ほど論じた「公有地の積極的活用」という点を含めて、都市政策と連動した福祉政策が求められているのである。

ちなみに、たとえばドイツの住宅政策においても、一九七〇年代以降に進行した住宅市

場の分極化と社会的隔離への反省として、住宅整備を地区総合計画と連携させ、都市計画と一体となった地区の環境整備や雇用政策と連携した社会的統合政策ということが模索されている（小玉［一九九九］）。

興味深いことに、実際、自治体アンケート調査の自由回答欄に見られた以下のような記載は、なお様々な課題を抱えつつ、以上のような視点と重なっているものと考えられよう。

「高齢者や低所得者（私達の地方では正社員より派遣社員の数が外の地方に比べて多い）が増加する中、公営住宅を現状維持するだけで行政的には厳しい状況です。現在中心市街地活性化ということで、街なか居住を推進するため、空家やアパート（バリアフリー化などの条件をつけ）などの家賃補助制度を検討しています。」（南相馬市、人口七万二〇〇〇）

「若年者街中住宅家賃助成事業補助金……中心市街地に居住する若年層の住宅費にかかる経済的負担を軽減することで、高齢化や人口減少の著しい中心市街地へのまちなか居住を進め、地域コミュニティの活性化や賑わい創出を目指す。」（松江市、人口一九万三三〇七）

「H18に高齢化した団地の再生手法等を記載した『団地型マンション再生マニュア

ル』を作成した。H19には『千葉市住生活基本計画』を策定し、セーフティネット構築のための施策等を記載している。空家となった公的賃貸住宅（特定優良賃貸住宅）の有効活用及び子育て世代への良好な居住環境の提供を目的として、四〇歳未満の夫婦を対象に、同住宅を市営住宅化している。」(千葉市、人口九四万)

「中心市街地問題の対策検討にあたっては、民間と行政が一体となった取り組みが必要と考えます。公共未利用地問題は、管理経費の削減及び財源確保の観点からも有効活用が必要と考えます。住宅に関しては、中心市街地への公営住宅の配置などの検討や、高齢者・障害者が快適に住むことが出来る住宅整備の必要性、現在の公営住宅の老朽度合と入居者ニーズを踏まえた、住宅環境の整備と管理充実が重要課題として挙げられます。」(芽室町、人口一万九四〇〇)

ちなみに都市計画そのものについては、分権化の方向とも相まって徐々にではあれ一定の改善が図られており、なお多くの課題を残すものの、一九八〇年の都市計画法改正では市町村による「地区計画制度」の導入が図られ、初めて市町村の主体的関与が位置づけられたが、これはドイツの地区詳細計画(いわゆるBプラン)やスウェーデンの地区計画を参考としたものである。また一九九二年の同法改正では、市町村が「都市計画マスタープラン」を作成することが義務づけられた（日本の土地百年研究会編著［二〇〇三］）。地域レベルにおいては、〝福祉、環境、まちづくり〟といった領域はほとんど一体不可分のものであり、またヨーロッパ等においては都市計画の作成が自治体の最大の任務であったとも言えるので、こうした方向は一層進めていく必要があるだろう。

†空間格差や社会的排除を生みにくい都市のあり方

都市政策と福祉政策の統合というテーマについて議論しているが、このように考えていくと、いわゆる「格差」をめぐる課題との関連も含めて、次のような「空間格差や社会的排除を生みにくい都市のあり方」というテーマが浮かび上がってくる。

図5-11は、いわゆる格差を「経済面（生活面）での格差」と「空間面での格差」とに大きく分けた上で、その両者の関係をごく単純化して示したものである。

ここで「経済面（生活面）での格差」とは、基本的に所得の格差、加えて本章で議論しているような資産（貯蓄、住宅、土地等）面での格差を指しており、これに対しては福祉（社会保障）政策を通じた再分配等が基本的な政策ツールとなる。他方、ここでの「空間面での格差」とは、どこに住み、あるいは生活しているかという点に伴う格差のことで、たとえば中心部から遠く離れた交通の便のよくない場所に住んでいるために様々な公共サ

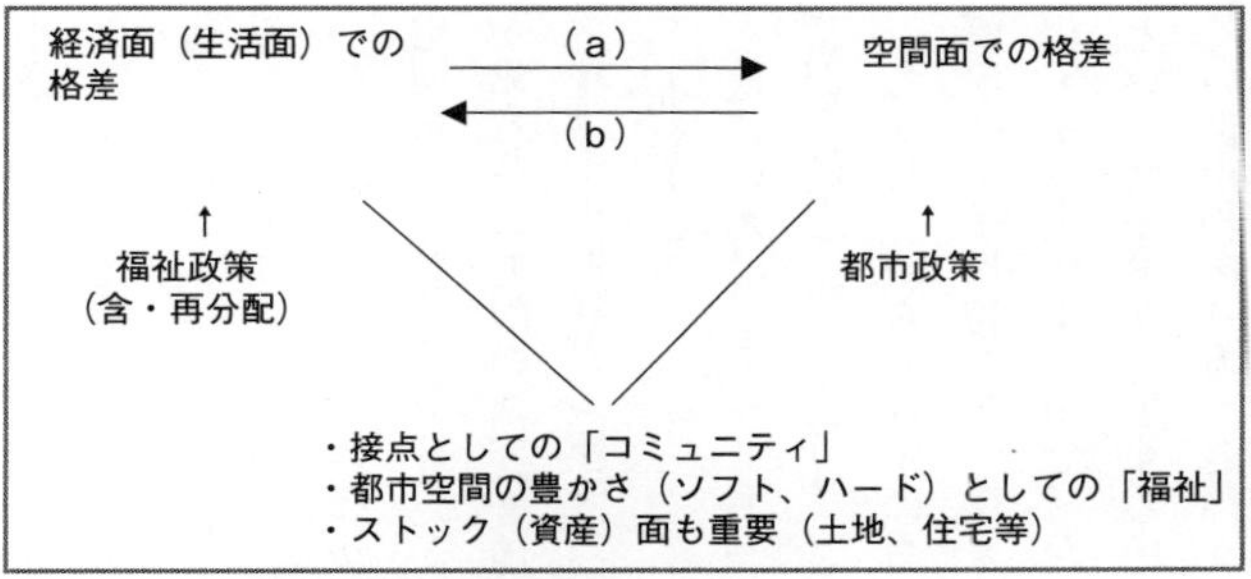

図 5-11　経済格差と空間格差
――空間格差や社会的排除を生みにくい都市のあり方

(注)（a）の例……低所得者が住居費の安いところに集中
（b）の例……公営住宅団地が中心部から離れたところに作られるため通勤コストが大きくなったり様々なサービスへのアクセスが阻害されたりする etc.

ービスや社会的資源へのアクセスが悪いとか、低所得層が多い団地や地域に住んでいるためにそのこと自体によってマイナスのスティグマが与えられる、といったことを広く指している。なお、住宅や土地という点は、先ほどの「経済面（生活面）での格差」とこの「空間面での格差」の両者にまたがる性格をもっているといえるだろう。

そして、図の(a)(b)の矢印で示しているように、この両者は独立した面をもちつつ相互に影響を及ぼし合う関係にある。

こうした「空間格差」というものは、日本においても、特に東京などの大都市圏においては各地域の地価の違いなどとも相まって、従来からもある程度は存在していたといえる。しかしながら近年までは、比較的所得格差が小さかったことや高度成長期以降の人口移動の流動性の大きさ等の要因から、さほど深刻な形で顕在化することは少なかった。少なくとも先ほど述べたようなアメリカにおけるような中心部の荒廃や隔離（segregation）、その他いわゆるインナー・シティ問題と呼ばれるものや、ヨーロッパの一部における、移民等の関連を含む排除や郊外団地の荒廃等といった問題には至っていなかった（たとえばドイツの場合、一九六〇年代以降にいわゆる社会住宅団地の建設が進められたが、大規模団地では若年層や失業者、外国人世帯など特定集団の集中が見られ、「五つのA」〔貧困者 Arme、高齢者 Alte、失業者 Arbeitslose、外国人 Ausländer、アルコール依存者 Alkoholiker〕と呼ばれるようなスティグマが伴うようになっていた〔小玉［一九九九］〕）。

逆にいえば、そうであったがゆえに、日本においては先にも見たように「都市政策」と「福祉政策」がタテワリのままである程度やってこれた、ということもできるだろう。

しかしながら、近年においては、所得や貯蓄のジニ係数等が徐々に上昇し、また非正規雇用や母子世帯など、従来比較的安定し画一的だったカイシャ・家族像というものが流動化・不安定化する中で、かつ高齢者の単独世帯の増加や団地における急速な高齢化の進展といった事態が進展する中で、こうした「空間格差」という課題や「社会的排除を生みにくい都市のあり方」ということを正面からとらえ対応を行っていく必要性が大きくなっている。

他方、自治体アンケート調査を見る限りでは、先述のようにほとんどの市町村においてはなおこうした「空間格差」という課題は課題として認識されていない。実際、こうした空間格差等といった問題は、基本的には一定規模以上の大都市圏に特徴的な課題といえる。なお都道府県の回答では、「課題となっているが、政策的対応に至っていない」が一二％存在し、またたとえば京都府は「低所得者層というより、高齢者等による公的賃貸住宅団地のコミュニティの衰退が重要な課題となりつつある」という回答を寄せている。

いずれにしても、今後は特に大都市圏を中心に、こうした「空間格差や社会的排除を生みにくい都市のあり方」という視点が重要であり、たとえば高齢者や低所得者層といった社会的に脆弱な層の住宅を整備する際には、様々なアクセスのよい中心部にできる限り整備するなど、「福祉」と「空間・地理」の両者をにらんだ対応が求められる。その場合には、従来から論じられているように、そうした特定層が一定の場所に集中する形になるのは妥当ではなく、いわゆるソーシャル・ミックスという視点を考慮し、所得、年齢、世代等において様々な階層が混在するような形での整備を行うことが同時に課題となる。

以上、「福祉（社会保障）政策と都市政策の統合」という視点のもとで、①公有地の積極的活用、②都市計画の強化と社会保障政策との連動、③空間格差や社会的排除を生みに

・高齢者等もゆっくり過ごせる街 ・歩いて楽しめる街（〜道路や交通政策のあり方） ・世代間のつながりや交流・コミュニケーション ・世代間構成のバランスや継承性（一世代で終わらない持続可能性） ・空間格差や社会的排除のない都市〜荒廃した空間の不在 ・「事前的（予防的）対応」（含人生前半の社会保障）や「ストックの分配」の重視 ・ケアの充実 ・自然とのつながり〜「環境と福祉」の統合 ・リサイクル、食糧・エネルギーなど環境面での持続可能性や一定の自立性 ・経済の地域内循環の活性化

表5-2 「持続可能な福祉都市」のイメージ

くい都市のあり方という諸点について述べてきたが、これらを通じて「**持続可能な福祉都市** sustainable welfare city」と呼ぶべき、ひとつの都市像あるいは地域社会の理念が浮かび上がってくるだろう（表5-2）。

†課税・財源のあり方

ところで、先に「フローからストックへ」という今後の福祉国家の方向に関して「課税システムの進化」という話題にふれたが、土地・住宅等の資産課税のあり方についてどのように考えるべきだろうか。

このうち特に不動産（土地・住宅）課税のあり方に注目すると、まず図5-12の不動産課税の国際比較を見てみよう。これは不動産への課税の対GDP費を比較したものだが、興味深いことに、もっとも高いのがイギリス、次いでアメリカ、日本、フランスとなっており、北欧はもっと低水準で、ドイツはさらに低い。すなわち、不動産への課税はアングロサク

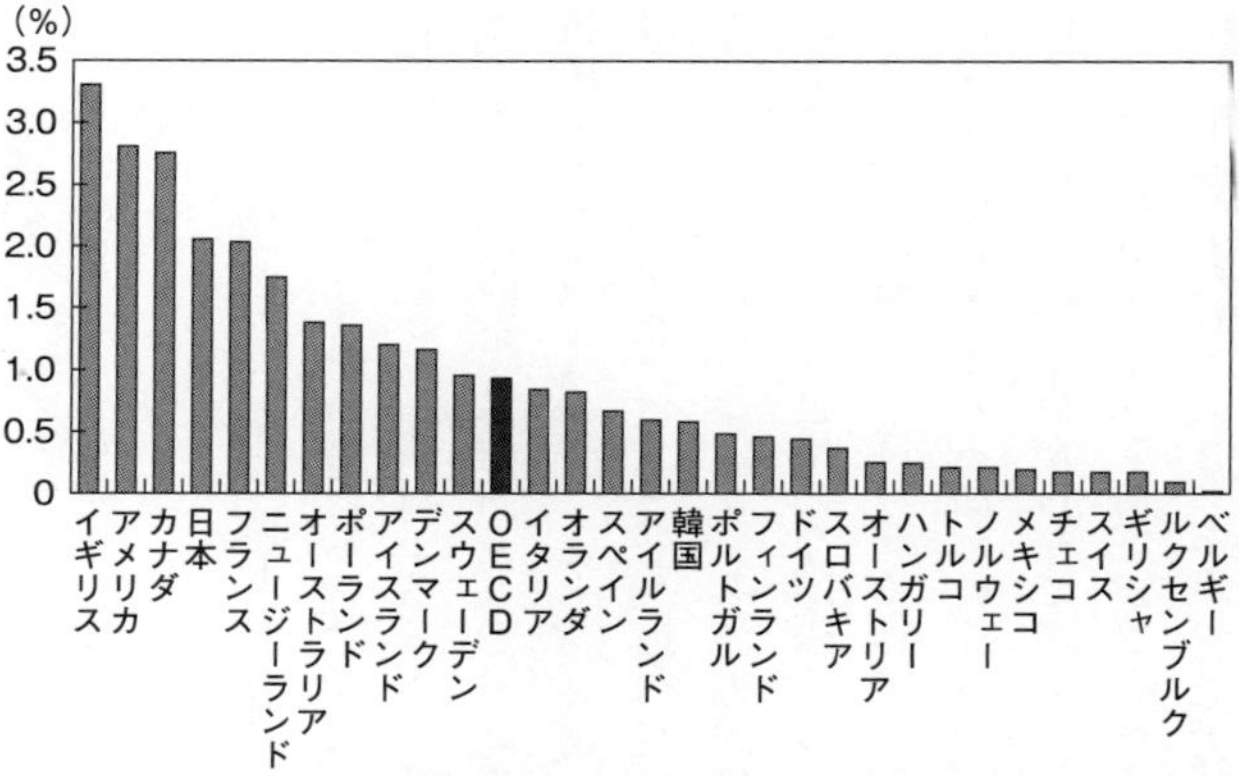

図 5-12　不動産に対する課税水準（対 GDP 比）の国際比較（2002 ～ 04 年平均）

（出所）OECD（2007）

ソン諸国において概して高く（また日本においても比較的高く）、一般的には課税水準が高水準である北欧や大陸ヨーロッパにおいて相対的に低いものとなっている。これはなぜだろうか？

　おそらく次のような要因が関与していると思われる。すなわち、

①　アングロサクソン系の諸国では土地が完全に〝商品化〟（＝市場経済の対象）されているが、大陸ヨーロッパはこの点の考え方が基本的に異なっており、つまり土地を完全に市場経済の対象とすることへの様々な抵抗があり、土地をめぐる様々な問題を税制（という経済的手法）で対応するという発想

が薄い。

② 北欧などはそもそも「公有地」が多いため、課税の対象にはならない。

といった点である(①に関し目良他[一九九二]参照)。

ちなみに、土地保有課税をめぐる従来の議論では、イギリスやアメリカにおける土地保有課税の高さとそれに対する日本の低さという点がしばしば論じられてきている(たとえばイギリスの固定資産税の高さについて野口[一九八九]。石[二〇〇八]も固定資産税の実効税率がニューヨーク、ロンドンに比較して非常に低いことを指摘。岩田他[一九九二]も同旨〔アメリカとの比較〕)。これらにおいて、日本における土地保有課税の強化の必要性ということが提唱されるという、その方向自体は肯定的にとらえたいが、ただしこうした議論は、以上のようなより包括的な国際比較から見ると比較対象に若干バイアスがある(アングロサクソン系に偏る)。言い換えれば、土地問題への対応において税制という経済的手法をどの程度重視して考えるかという点や、そもそも土地所有のあり方をどのような方向にしていくべきかという点が併せて考えられる必要があるだろう。

では今後どのような対応がなされるべきか。基本的な筋道としては、先に議論したように、土地の公有・共有(あるいは既存の公有地の積極的活用)という方向を最大限積極的に進めつつ、しかしそれらは現実には一定の限られた範囲にとどまるものであることから、他方で土地課税等の強化を行い、これを通じて「ストックの再分配」を図っていくことが重要と私は考える。

ところでこうした方向（土地に対する課税強化）は、エコロジー的な理念に一見対立する側面ももつ。つまり土地をそもそも経済的な取引の対象とせず、また世代間の〝土地の継承性〟を重視するという観点からは、土地保有課税や相続に関する課税はそうした考えに逆行するものであり、実際、環境保全等の立場から土地関連の課税に反対する議論が従来から存在してきた。しかしながら他方で、〝自然（土地）から収益を得ている者はそれについての対価を払う〟という発想から、むしろエコロジー的な理念を体現するという考えの下で土地課税の強化を主張する議論もある。

たとえば、エコロジー的な系譜に属するイギリスの経済学者ロバートソンは、「共有資源（common resources）への課税」という考えの下、土地やエネルギー等への課税の重要性を論じており、土地税及びエネルギー税等を主要な財源としつつ、それを市民所得（いわゆるベーシック・インカムに相当するもの）等にあて、ストックを含めた富の再分配を通じて基礎的な生活保障を行うとともに、自然資源の利用にブレーキをかけるという包括的な政策を提案している（ロバートソン［一九九九］）。これは、土地への課税を通じた「ストックの再分配」という社会保障的な側面と、自然資源の過剰な利用の抑制というエコロジーないし環境政策的な側面の両方をもった象徴的な政策といえるだろう。

ちなみに先のOECD報告書（OECD［2007］）も、社会保障の今後の財源に関する記述の中で、土地課税が現在のOECD諸国においてなお「十分に活用されていない」（under-used）とし、また土地課税は脱税が困難であるとともに累進的な設計ができ、したがって「もっとも公平でありかつ効率的な課税の装置」であるとして、今後の社会保障の財源として有力な選択肢のひとつという趣旨の指摘を行っている（ちなみに同報告書は、社会保障の今後の有力な財源として併せて「環境税」を挙げているが、「社会保障財源としての環境税」というテーマについては広井［二〇〇一］、［二〇〇六］、同編［二〇〇八］を参照されたい）。

＊横浜市の「横浜みどり税」について

再分配という性格のものではないが、横浜市は二〇〇九年度から当面五年間の予定で「横浜みどり税」を導入することとした。これは、緑地の保全を主たる目的として個人及び法人に課される税（個人については市民税の均等割に九〇〇円を上乗せ、法人については市民税の現行の年間均等割額の九％相当額を上乗せ）で、その税収は、保全されるべき民間の緑地を公有地として買い上げたり、農地の保全や各種の市民参加活動を支援したりするための費用に充てられる。様々な議論がありうるが、本章の基本テーマのひとつである公有地の積極的活用という点からも興味深い政策と考えられる。

資産課税という点では相続税も重要であり、以上をまとめると、（消費税と並んで）今後は相続税、土地課税、環境税について強化を行い、それを社会保障、とりわけ「人生前半の社会保障」の財源として活用し、これを通じて「ストックの再分配」を図るとともに、土地課税・環境税については資源・環境制約との調和という趣旨も盛り込み、これによって「分配の公正」と「持続可能性」の両者を実現していくことが本質的な重要性をもつだろう。

こうした税制を含め、本章で論じてきた「福祉政策と都市政策の統合」や「ストックをめぐる社会保障」政策等の全体を通じて、「持続可能な福祉社会」（＝個人の生活保障や富の分配の公正が実現されつつ、それが資源・環境制約とも調和しながら長期にわたって存続していける社会）と呼びうる、これからの時代の新たな社会のありようが実現されていく必要がある。それは、市場と政府とコミュニティ、あるいは資本主義と社会主義とエコロジーがクロス・オーバーするような、従来の枠組みを超えた社会像であるはずである。

第3部
原理

第6章 ケアとしての科学——科学とコミュニティ

本書では、ここまで都市や空間、グローバル化、土地、福祉といった諸領域との関連で「コミュニティ」というテーマについて様々な角度から見てきたが、第3部ではそれらの根底にある原理的な主題に関心を移し、まず「科学」というものとコミュニティとの関わりについて考えてみよう。

ここでポイントとなるのは、大づかみにいえば、第一にこれからの科学あるいは知的探求において、「コミュニティ」という主題が中核的な重要性をもつようになると考えられること、しかし第二に、それはこれまでの（一七世紀の科学革命以降の）「近代科学」のあり方そのものを大きく問いなおす意味をもつであろうこと、そして第三に、そうした探求は、特に日本では顕著ないわゆる〝文系と理系〟、あるいは人文科学、社会科学、自然科学といった境界を越えるような——あるいはそれらの接点となるような——性格をもつはずであること、という諸点である。

†「現代の病」への対応——医療技術とケアをめぐる議論

以上のことをいくつかの流れにおいて吟味していきたいのだが、そのひとつとしてまず取り上げたいのは医療技術やケアをめぐる領域での展開である。

議論の前提としてごく基本的な確認をすると、先ほど少しふれたように、一七世紀にいわゆる科学革命 scientific revolution と呼ばれるものがヨーロッパで起こり、そこで「近代科学」(ないし西欧近代科学)、つまり私たちが今日「科学」と呼んでいるものが成立した。それは自然や世界の理解に関して、後でも整理するように一定の前提ないし考え方の枠組みをベースとするもので、特に①人間と自然との明確な分離(ひいては「自然支配」ないし自然のコントロールという志向性)、②要素還元主義(あるいは経験的・実証的な客観性)ということを基本的な特徴とするものだった。

そうした近代科学は、まず力学を中心とする物理学(天文学を含む)、そして化学において展開していき、やがて〝もっとも複雑な自然現象〟である生命現象にもそのアプローチが及ぶようになり、(生命現象に以上のような近代科学の分析的な理解が強い形で及ぶようになるのは二〇世紀に入ってからであるが)医療分野について見れば一九世紀に「特定病因論」

と呼ばれる考え方が成立した。

特定病因論とは、「一つの病気には一つの原因物質が対応しており、その原因物質を同定し、それを除去すれば病気は治療される」という理解の枠組みである。それは(a)基本的に身体内部の物理化学的関係によって病気のメカニズムが説明されると考えること、また(b)「原因物質」と病気との関係を比較的単線的な因果関係として把握し、そうした原因物質を同定してそれを除去すれば病気は治癒されると考えることに基本的な特徴がある。

この説明からすでに想像されるように、そこで想定されているのは明らかに感染症であり――感染症は、まさに細菌などその「原因物質」を明らかにしてそれを除去することによって治療される――、また、そうした考え方の枠組み（パラダイム）の成立の背景には、端的にいえば〝感染症と戦争の医学〟ともいうべき、当時のヨーロッパにおける医学についての要請があった。つまり、その前後の時期のヨーロッパは、文字通り戦争の連続の時代であるとともに、その数世紀前の近世・近代の時代から、ヨーロッパの世界制覇の中で様々な感染症がもたらされ――感染症の多くは文字通り「グローバリゼーション」の産物である――、したがって感染症や外傷の治療において強い有効性をもつということが、何よりも医学・医療に対して求められる任務だったのである。このように、医学のあり方は、その時代や社会において、何がもっとも優先度の高い疾病であるか、という社会的文脈において大きく規定されるものである。

しかし時代は大きく変わっていく。現象面から見ると、現在の日本の場合、個人のライフサイクルで見たときに、一生の間で使う医療費のほぼ半分（四九％）は七〇歳以降の高齢期に使われる（二〇〇五年度）。医療費全体で見ても、医療費三三・一兆円（二〇〇六年度）のうち六五歳以上の高齢者の医療費は全体の五一・七％となっており、今後高齢化の進展の中でこの割合は高齢化のピーク時の二〇五〇年頃には医療費全体の七〜八割にまで及ぶことが予測されている。他方、表6-1は、先進諸国における一五歳から四四歳までの病気の負担（WHO等で使われているDALY〔Disability-Adjusted Life Years〕と呼ばれる指標に基づく概念〔burden of disease〕で、どのような病気が寿命を短くしたり障害の原因となっているかを一定の基準で表すもの）を示したもので、これを見ると、男性・女性ともに、うつや統合失調症、アルコール依存、交通事故など、精神的・社会的なものが中心になっていることがわかる。もし「人生前半の医療」という言葉を使うとすれば、そうしたものの多くは

表6-1　15〜44歳の病気の負担（burden of disease〔in DALY〕）の主要要因（先進国、1990年）

男性		女性	
1）アルコール摂取	12.7	1）うつ病	19.8
2）道路交通事故	11.3	2）統合失調症	5.9
3）うつ病	7.2	3）道路交通事故	4.6
4）自傷行為	5.6	4）双極性障害	4.5
5）統合失調症	4.3	5）強迫障害	3.8

（出所）世界銀行（2002）、Murray and Lopez（1996）

このように精神関係や社会的なものが主体になっているのである。

ちなみにこうした変化を大きく把握する枠組みとして、「健康転換（health transition）」という考え方がある。これは感染症から慢性疾患、ひいては高齢者関係そして精神疾患関係へ、という病気の構造（疾病構造）の変化を一方でとらえつつ、医療システムのあり方（医療保険制度や医療サービス、提供システム等）もそれに応じて変化していく必要があるという理解の枠組みである。

「現代の病」という表現があるが、まさに現在においては、がんを含めた様々な慢性疾患はもちろん、高齢者関係や、うつなどの精神疾患が病気の主要部分を占めるようになっている。そして、想像すればわかるように、これらは先ほどの「特定病因論」の考え方のみでは解決が困難なものがむしろ一般的になっているのである。

すなわち、病は身体内部の要因のみならず、ストレスなど心理的要因、労働時間や社会との関わりなど社会的要因、自然との関わりを含む環境的要因など、無数ともいえる要因が複雑に絡み合った帰結としての心身の状態として生じている、という視点が本質的なものとなっている。文字通り「複雑系としての病」という理解が求められているのである。

†様々なケア・モデル

表6-2 医療モデルと生活モデルの対比

	医療モデル	生活モデル
目的	疾病の治癒、救命	生活の質(QOL)の向上
目標	健康	自立
主たるターゲット	疾患 (生理的正常状態の維持)	障害 (日常生活動作能力〔ADL〕の維持)
主たる場所	病院(施設)	在宅、地域
チーム	医療従事者(命令)	異職種(医療、福祉等)(協力)

(出所) 長谷川(1993)を一部改変

こうした中で、まず高齢者ケアのあり方について、上記の特定病因論的な考えに基づいた、狭い意味での「医療モデル」のみでは解決が困難であることが徐々に認識されるようになり、高齢者の生活の全体に目を向けた「生活モデル」ということが言われるようになるとともに(表6-2)、九〇年代前後から徐々にそうした考え方や、それを踏まえた様々なサービスや制度(介護サービスや施設、グループホーム等を含む)が整備されてきた。

一方、高齢者ケアに限らない様々な慢性疾患や、先ほども言及した(広い意味での)精神疾患関連も視野に入れると、図6-1に示すような、より包括的なケアの全体像を考えることができる。この図は、上半分は人間の生物学的ないし物理・化学的な側面に主に注目した自然科学的なアプローチであり、下半分は人間の心理的・社会的等の側面に目を向けた人文・社会科学的なアプローチである。他方、図の左側は主として人間の「個体」としての側面に主たる関心を向けるもの、右側は個体を取

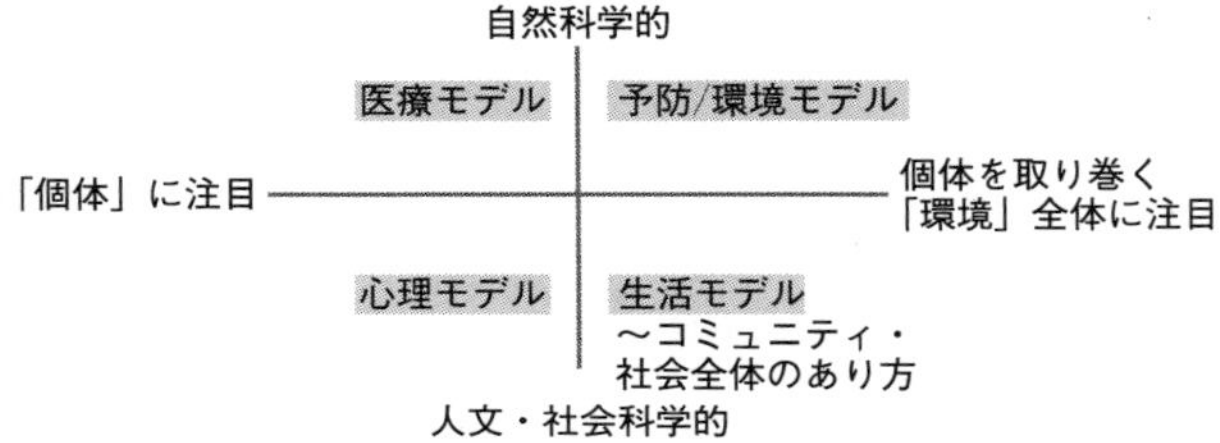

図6-1 「ケアのモデル」の全体的な見取り図

り巻く環境全体に目を向けるものという区分だ。

そして、先ほどの健康転換（感染症→慢性疾患→高齢者ケア及び精神疾患関連）との関連を考えると、ひとつの大まかな見方として、図6-2に示すような、健康転換の各段階とそれぞれにおいて特に重要なケアのあり方を把握することができるだろう。

以上、やや概念的な議論となったが、ここまでの範囲では、医療モデルから出発して、慢性疾患における予防・環境モデルや心理モデルをへて、高齢者ケアや精神疾患等における生活モデルへ、というひとつの大きな流れが浮かび上がり、先ほどから述べている生活モデルというものがある意味でひとつの到達点のように響くのだが、事態はそれで終わるのではない。

というのもひとつには、こうした生活モデルもまた、どちらかというと高齢者ケア等のあり方をいわば「一対一モデル」的にとらえており、人間の全体の一部を見ているに過ぎない面があるからである。ここで「一対一モデル」というのは、ケアと

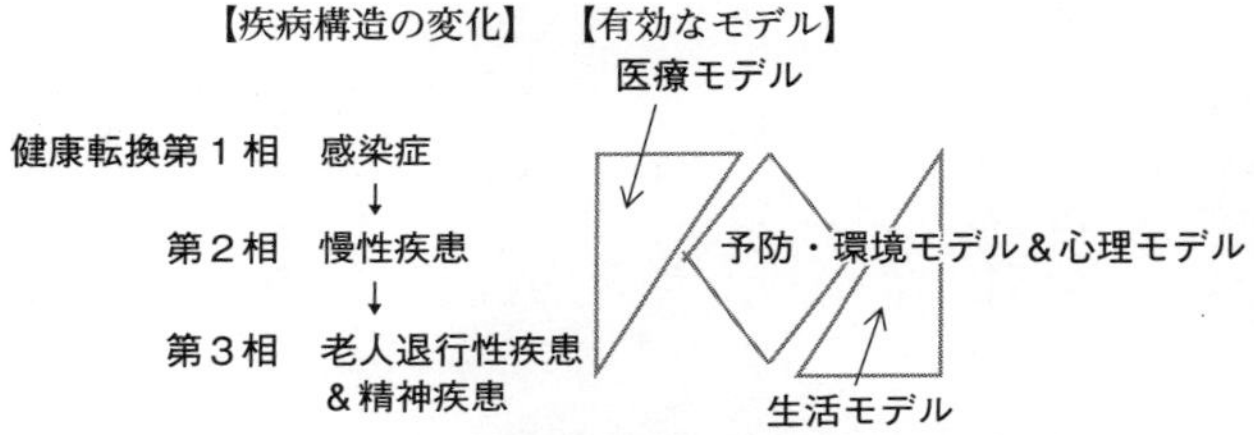

図 6-2　健康転換と有効なケア・モデルの変容

いうことを主に「ケアする者―ケアされる者」（あるいはケアの提供者―ケアの受け手）という関係においてとらえるような見方を指している。

†個体を超えた人間理解とコミュニティ

もちろん、こうした一対一的な関係がケアのひとつの原型であることは確かなことだが、しかしこうした見方だけではケアあるいは人間の全体性をとらえることはできないだろう。たとえば、九〇年代後半以降、認知症の高齢者等のために作られてきた小規模のグループホームというものがあるが、そこで重要なのは、高齢者が自ら台所での調理等の家事を行うなど、できるだけ「ふつうの生活」を送ることを通じて心身の状態の悪化を防ぐという面とともに、高齢者相互の――一対一対モデル的な視点からいえば「ケアの受け手」どうしの――コミュニケーションそのものが、個人の心身の状態や生活の質の向上にとって本質的な意味をもつ、という点である。私自身はこうした点を「生活モデルの三段階〔①疾病から障害へ（種々の介護サービスの充実等）、②受動性から主体性へ（グループホームでの実践等）、③コミュニティ／環境に開かれたケアへ（高齢者・子ども統合ケアや「自然との関わりを通じたケア」等）〕」という視点にそくして論じたことがある（広井［二〇〇〇］参照）。

ここで重要なことは、個体〝間〟の相互作用やコミュニケーション、そしてその基盤をなすコミュニティというものが人間（ひいてはその健康や幸福等々）にとってもつ本質的な意味ということを、医学を含めた現代の科学はなお十分にとらえ切れていない、という点だ。

これは、必ずしも現代の科学を一方的に非難しているというものではない。というのも第一に、以上のような近代科学というものの性格――人間を含む生物を基本的に「個体」を中心に（ひいてはその個体を形成するよりミクロの要素から）把握するという考え方やアプローチの方法――は、近代科学そのものがいわばその原理として自ら認めるものであるから、そのこと自体については争いの余地がない。そして第二に、現代の科学そのものが、そうした近代科学の限界に様々なレベルで気づき始めており、そうした限界を乗り越えるような様々な試みが、なお未開拓とはいえ始まりつつあるからである。

一例を挙げてみよう。近年、その功罪を含めて「脳」に関する議論が盛んだが、現在、今後の脳科学研究のあり方について、文部科学省・学術審議会の「脳科学委員会」での検討が進行中である（二〇〇七年一一月にスタート。議論には貢献していないが私自身も医療政策や社会科学的な視点ということで参加）。そこで議論されてきた「脳科学に係る研究開発ロードマップ（たたき台）」からの記述には、以下のような、本章でのここまでの議論に深く関連するような興味深い指摘が見られる。少し引用してみよう。

「急速な高齢化社会の進行に伴い、ＱＯＬ（生活の質）を損ない、介護を要する神経疾患が大きな社会問題となりつつある。同時に、精神疾患を背景とした、交通事故死の三倍を上回る自殺率の高まりなど、現代人の心身の荒廃は著しい。また、脳は自律神経系、内分泌系の最高中枢として、免疫系との相互作用等により、生活習慣病などの発症にも大きな影響を及ぼしている。」

「脳の活動は、個体としての認識・思考・行動を司るに留まらず、異なる個体間や生物種・生態系との間に相互作用を生み出し、社会集団を形成する上でも決定的な役割を果たしている。このようなコミュニケーションや社会行動など、個体を超えたレベルで、脳がどう作動するかについての研究は、いまだ端緒についたばかりである。」

（強調引用者）

この、「個体を超えたレベル」で脳がどう作動するかについての研究がまだ端緒についたばかりという記述は、まさにその通りだろうし、同時に、先ほどから議論してきたような近代科学というものの枠組みを越える要素がここには存在している。そして、

「従来、こうした人間と社会や教育にかかわる問題に対するアプローチは、人文・社会科学的なものに限定されがちであったが、今後、自然科学の一学問領域としての脳科学の壁を打破し、人文・社会科学と融合した新しいアプローチが求められている。」

という指摘も、その通りのことと思われる。

要するにここで示されているのは、脳を媒介ないし拠点とした、個体を超えたモデルやより包括的な人間の理解への展望である。個体間のコミュニケーション（ひいてはそれを通じたコミュニティないし社会の形成）ということが扱われるのは他でもなく「脳」においてであるから——より正確にいうと、人間の情報伝達には「遺伝情報」と「脳情報」の伝達があり、前者は遺伝子のバトンタッチを通じて行われ、後者は個体間の直接的なコミュニケーションによって行われる——、個体を超えた人間理解そしてコミュニティというも

の把握が自然科学の分野において行われるとすれば、（サル学や進化生態学などを含む生態学、生物人類学等の領域とともに）脳研究はその大きな突破口のひとつになるだろう。また、近年脳科学の分野で展開している「ソーシャル・ブレイン」、つまり人間ないし生物の社会性や他個体との「関係性」と脳に関する研究も、こうした動向と重なっているだろう（開・長谷川［二〇〇九］、藤井［二〇〇九］、内田［二〇〇八］参照）。

†様々な試み――社会的関係性への注目

一方、医療・福祉に関する他の領域でも、人間にとって他者との様々な関わりやコミュニティ、社会的なつながり等といったものが重要な意味をもつことが、様々な側面で明らかになってきている。

たとえば、図6-3は高齢者の単身世帯（一人暮らし）割合と介護の軽度の認定率の相関を都道府県単位で見たものだが、単身世帯割合の高さと介護認定率との間に若干の相関が示されている。単純にいえば、一人暮らしで他者とのコミュニケーションなどが少ないと、（軽度の）要介護状態になる可能性が相対的に大きいということである。

こうした話題に関しては、近年、社会疫学（Social Epidemiology）と呼ばれる分野が発展し、人間の病気というものが、先ほどの特定病因論的な枠組みでは理解が困難であり、

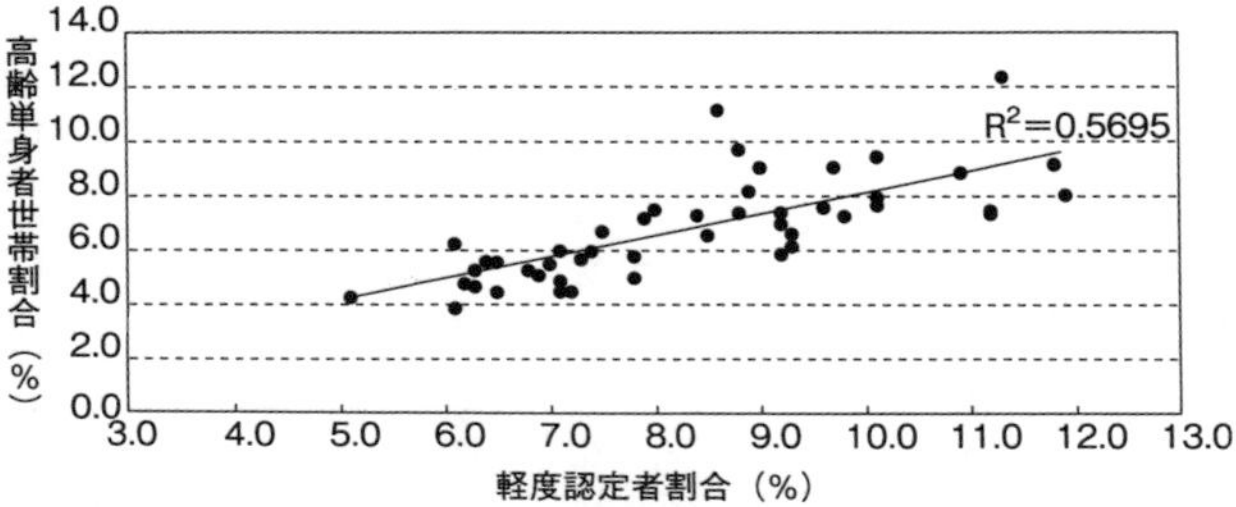

図6-3　高齢単身世帯（一人暮らし）割合と介護の軽度認定率の相関（都道府県別）

（出所）厚生労働白書平成17年版
（注）厚生労働省老健局「介護保険事業状況報告」及び総務省統計局「国勢調査」より厚生労働省政策統括官付政策評価官室作成
軽度総定者割合は2003年の値、高齢単身者世帯割合は2000年の値

心理的・社会的・経済的等の要因と深く関わり、それらを視野に入れ対応を行っていかなければ解決にならないということが広く議論されるようになっている。経済的な要因に関しては、貧困など個人の経済的状況と健康との相関に関する研究も広がっている（マーモット、ウィルキンソン、カワチら。全体の概観として近藤［二〇〇五］、ウィルキンソン［二〇〇九］参照）。また、プロローグの表1でふれた、社会科学の分野で広く論じられている「ソーシャル・キャピタル（社会関係資本。人と人との関係性やつながりのあり方に関する概念）」に関して、それと健康や医療との関わりについても多くの研究や議論がなされている（Ichiro Kawachi et al (eds)［2007］）。

ただし、「疫学」という言葉が示すように、これらはいわば現象レベルないしマクロレベルの相関関係の把握にとどまっており――疫学とはもともと、病気の原因物質や因果関係に関する実体的な把握が困難な場合に、病気の発生状況とそれに関連する様々な要因を統計的に分析してその相関関係を明らかにし、そのことを通じて病気の発生メカニズムに接近しようとするもの――、人間にとってコミュニティや社会的な関わりがもつ意味、あるいはコミュニティという存在そのものを、直接的に明らかにするものとはいえない面がある。しかし逆にいえば、もしも「コミュニティの科学」ともいうべきものがありうるとしたら、それは従来とは異なる、何らかの新たなアプローチや方法論を必要とするものともいえる。いずれにしても、先の脳科学に関する議論を含めて、「コミュニティ」というテーマは近代科学そのもののあり方を問いなおすという性格を根本的なレベルでもっている。

†現代科学は「古人の知恵」に還る

ところで、先ほど「人間にとって他者との様々な関わりやコミュニティ、社会的なつながり等といったものが重要な意味をもつことが、様々な側面で明らかになってきている」という言い方をしたが、そうしたことはある意味で〝当たり前のこと〟であって、何もわざわざ「科学が明らかにする」までもないことのようにも見える。

この点を少し距離を置いて考えると、現代の科学は「古人の知恵」あるいは〝常識〟に回帰している、という大きな傾向が指摘できるように思われる。振り返れば、「近代科学」が提示する物の見方はことごとく〝常識破壊的〟であった。曰く「動いているのは太陽ではなく地球である」、「生物は機械と同じである」、「心と身体は完全に別物である」等々……。そしてこうした常識破壊的な前提のうえで、近代科学は一定の成果を上げてきたのである。

これに対して、現代の科学が明らかにしつつあることは、少なくともその結論だけを見る限り、むしろきわめて〝常識的〟で、古くからの知恵を再確認するようなものが多い。たとえばしばらく前から「ストレスと免疫」の相関（＝ストレスが免疫機構の働きに大きな影響を与える）が明らかにされ、近年では精神神経免疫学といった分野も発展しているが、そこでの基本メッセージは要するに〝病は気から〟ということであり、近代科学の「心と身体の分離」という世界観とは逆の方向を示している。また経済学の分野では行動経済学（ないし経済心理学）ということが話題となり、人間が〝純粋に利己的ではない〟ということが様々な実験等を通して明らかにされていると論じられるのだが、そこで示される結論自体は多くの場合きわめて常識的なものである（もともと「行動科学 behavioral science」という言葉は戦後のアメリカにおいて、心理学を含めてあらゆる科学を〝客観的・検証可能〟なものにするという理念のもとで唱えられたもので、人間という存在を大幅に単純化してとらえるものだった)。

私はここで、現代の科学が明らかにしつつある事柄の多くが〝常識回帰的〟であることをもって科学の意義を否定するつもりはない。むしろ、あえて希望的な観測を述べるとすれば、現在は「科学を人間の手に取り戻す」にあたっての好機であるともいえるだろう。実際、人間という生き物は、現在の科学が想定するよりもはるかに「複雑」である。たとえば医療におけるリハビリなどでは、概して機械的・外形的な「訓練」がなお中心だが、農園の草いじりが好きだった人にとってはそうした日常的活動や他者との関わりこそが心身の最大の「リハビリ」であるだろう。今後、脳科学などが発展して人間という存在の複雑性が明らかになればなるほど、ベッドに寝かせきりで薬漬けの〝治療〟ではなく、日常的な他者との関わりや「ふつうの生活」ができるようなサポート体制こそが、最大の治癒や予防であることが示されるだろう。そのとき科学や医学はもっと人間や生活に寄り添った本来のものとなりうる。私自身は、こうした今後の科学のあり方を「ケアとしての科学」と呼んでみたい(この実質的な意味は後ほどさらに明らかにしたい)。

†近代科学の展開とコミュニティ

以上は、特定病因論など医学・医療や福祉の領域にそくして「コミュニティ」の重要性

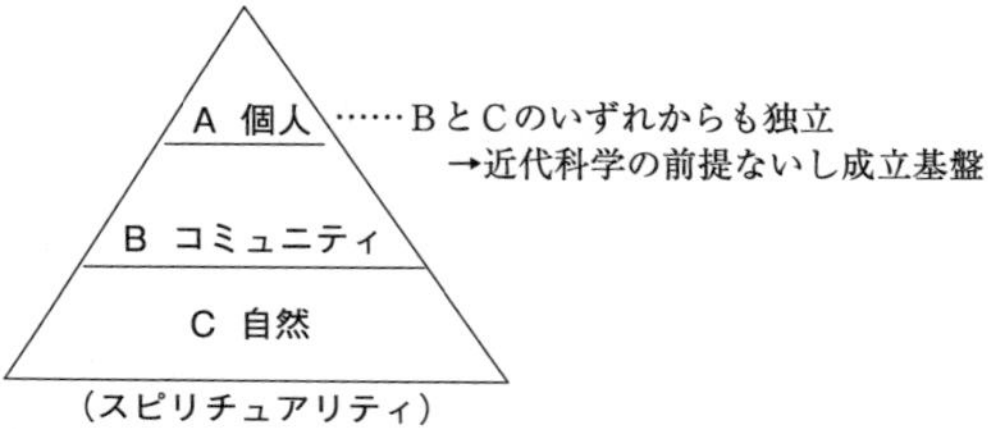

図6-4 「個人ーコミュニティー自然」の関係

を見たのだが、これをもう少し大きく近代科学全体の展開の流れにそくして見るとどうだろうか。

図6-4は、人間と自然に関わる全体構造を理念化して示したものである。「A 個人」という存在のベースに「B コミュニティ」という次元があり、さらにその根底に「C 自然」という次元が存在する。逆にいえば、自然という存在から「人間」という存在が分かれ出たとき、さしあたりそれは共同性をもった存在であったが、しかしとりわけ近代以降、「個人」という存在がコミュニティ（共同体）からの自立度を強め、独立していったのである。

ところで、近代科学というものの基本的な性格として、

① 人間と自然との明確な分離（ひいては「自然支配」ないし自然のコントロールという志向性）、

② 要素還元主義（あるいは経験的・実証的な客観性）、

という二つが指摘できるということを本章の初めで述べた。このことと図6-4との関係を見ると、やや概念的な議論になるが、

・①→A&B(=人間)の、C(自然)からの独立ないし分離
・②→A(個人)の、B(コミュニティ)からの独立ないし分離

という対応関係にあるといえる。このうち②は若干わかりにくいかもしれないが、要するに個人がコミュニティから独立していくこととパラレルに、各個人の〝主観的な〟認識から独立した、第三者的に中立な対象としての〝客観的な実在〟なるものが観念されるようになることである。そしてそうした存在としての「自然」、つまり①人間を離れて存在し、かつ②個々人の認識からも独立している客観的対象を探求する営みとして、(西欧)近代科学が成立する。

この場合、近代科学の展開を歴史的に大きく概括すると、その基本コンセプトは「物質→エネルギー→情報→生命」という形で展開してきたととらえることができる(広井[二〇〇三]、[二〇〇五]参照)。すなわち最初の「物質」(ないし物体)は、一七世紀の科学革命以降、まずもって(天文学を含め)物体の運動法則を明らかにする力学が科学的探求の

中心であったことと対応しており、次の「エネルギー」は、一九世紀以降、熱力学や電磁気学等が科学の前線に登場すると同時に、石炭・石油等の自然資源を利用して文字通り大量のエネルギーを引き出す産業化ないし工業化の波が大きく展開する中で、科学の中心コンセプトとなっていった。

この点に関し、「複雑性」等の研究でよく知られる物理学者のイリヤ・プリゴジンは、「エネルギー保存則によって、力学が究極的に一般化される時代、新しい物理学の黄金時代の構想が形作られ始めた。……古典力学にとって、自然の象徴は時計であった。工業時代にとって、自然の象徴は、常に枯渇の脅威にさらされたエネルギー溜めとなった」と述べている（プリゴジン&スタンジェール〔一九八七〕）。

同時に一九世紀以降、科学的探求の対象は、先にも述べたように〝もっとも複雑な自然現象〟たる生命にも徐々に及ぶようになっていき、そうした中で、一九世紀には進化論などと並んで「生気論」と呼ばれる考え方、つまり「生命」というものを、物理・化学的な現象ないし法則に還元できない固有の現象としてとらえる見方も登場していた。

†情報・生命・コミュニティ

しかしながら、その後の近代科学の展開は、二〇世紀の途中から「情報」という概念が大きく前面に出る中で、むしろ「情報」を鍵概念として（遺伝現象はもちろん様々な形質の発現のメカニズムなど）あらゆる生命現象を解明するという方向に進んでいくことになる。これはいわば「生命＝情報」観とも呼びうる自然像であり、これによって一九世紀に浮上しかかっていた先ほどの「生気論」（あるいは「エネルギー」的生命観ともいうべき考え方）は科学のメインストリームから事実上駆逐されていった。見方を変えれば、「情報」というコンセプトの導入によって、近代科学は「生命」というやっかいで扱いにくい代物に正面から向かうことを回避できた、ということもできる（広井［二〇〇三］、［二〇〇五］）。

　ところで「情報」という概念は、以上のように「生命」と関わると同時に、実は「コミュニティ」と深く関連する。つまり先ほど脳研究のところで、人間の情報伝達には「遺伝情報」と「脳情報」の両者があるということを述べた。あらためて確認すると、前者は親から子へ遺伝子を通じて伝達されるもので、後者は個体間の直接的なコミュニケーションによって伝達されるものである。そして遺伝情報の伝達についてはすべての生物にあてはまるものだが、脳情報の伝達は、他ならず脳が一定以上発達して個体間のコミュニケーションがなされるようになった生物、すなわち典型的には哺乳類、とりわけ人間において全面的に展開するものである。

　したがって、脳研究に象徴されるように、「情報」のうち脳情報とその伝達に科学的探究が向かうようになるということは、先ほどの図6-4において、「A　個人」のベースにある「B　コミュニティ」のレベルに科学が歩みを進めていると理解することもできるだろう。そしてそれは、先ほど議論したように、もともと「個人」という存在をコミュニティから切り離すことによって成立した近代科学の基本的なパラダイムを、根本から変えるような性格をもちうることになるだろう。

さらに、「生命」を単に「情報」概念によって（ある意味で機械論的に）説明するのではなく、〝生命そのもの〟を探求の対象とする方向に科学が今後向かうとすれば、それは図6-4における「C　自然」の次元にいわば〝内在〟するような場所まで歩みを進めることと理解できるだろう。

つまりそれは〝「人間と自然」の切断〟という近代科学のもうひとつの基本パラダイムをやはり根本から修正する意味をもつ。そうすると、①「個体を完結してとらえるのではなく、他者とのコミュニケーションや関係性において理解する」、②「人間と自然（対象）を分離してとらえるのではなく、その一体性や相互作用に注目する」という二重の意味で、科学は「ケア」としての性格をもつようになるといえるだろう。これが先ほど「ケアとしての科学」と表現したことの実質的な内容となる。

そしてここまで議論を進めると、この話題は実はプロローグで行った（人間の）コミュニティについての原理的な考察とつながることになる。プロローグでは重層社会、つまり人間の社会は個人と社会との間に中間的な集団が存在することに本質をもつという視点を手がかりとして、人間のコミュニティ（その原型としての家族）というものが「関係の二重性」――（象徴的には母子関係に代表される）「内部」的関係性と、（父親が子育てに関わるという独自性に由来する）「外部」的関係性の両者をもつこと――に特徴づけられるということを論じた。こうした意味での人間のコミュニティ（あるいは関係の二重性という構造）が成立する際に、たとえば脳において何らかの物質レベルでの変化を伴う変容が生じるかどうかは未知のことであるが、こうした論点は、いわば自然科学と人文・社会科学の境界あるいは臨界点に位置するものだろう。

いずれにしても今後の自然科学は、（情報概念の重点が遺伝情報から脳情報へとシフトしていく流れとも相まって）「コミュニティ」ということを視野の中心にすえるような方向にやがて展開していくと考えられる。同時にそれは、科学が「ケア」としての性格を強めていくとともに、本章の前半で議論したように、医療や福祉の分野において（「特定病因論」的な病気の理解にとどまらない）人間の全体性やコミュニティとの関わりの重要性が認識されていくという大きな構造変化と重なっているのである。

【付論】人間の意識とコミュニティ

プロローグや本章で行ったような（また次章でも展開する）「コミュニティ」をめぐる議論は、人間の「意識」とは何か（あるいは「自己意識」ないし「自我」とは何か）というテーマとも深い関係にある。

結論から述べるならば、（人間の）「意識」というものに、以下のような三つの層ないし次元があり、それらがコミュニティの形成ということと関連するといえるのではないだろうか。

三つの次元とは、

(a)　時間性としての意識
(b)　他者性としての意識
(c)　自己意識としての意識

である。簡潔に説明すると、まず(a)は、個体が「現在」のみを生きるようなレベルから一歩抜け出して、「目的―手段」の回路を獲得し、時間的な構造の中を生きるようになるという次元である。ここにおいて、個体にとって世界は（絶え間なく変動する「現在」の生起というものから離れて）「時間的な秩序」をもつようになり、またそうした世界の相互連関性の中で「意味」（＝あるものが別の何かを指し示すという構造）が生成することになる。そして、これが「意識」というもののもっとも原初的な形態といえるだろう（広井［一九九四］参照）。

続く(b)は、「集団性」（ないし社会性）の成立ということとパラレルなもので、個体と個体とが何らかの形での相互作用を行い、そこに一定の協働関係（あるいはその裏返しとしての敵対的関係）が成立するようなレベルをいう（これは本章で論じた、個体間コミュニケーションを通じた「脳情報」の伝達ということと対応しているだろう）。この結果、(a)で成立した「意識」の原初形態に、何らかの意味での「他者（他の個体）」（との関係性）という要素が入り込むことになる。これは、生物進化の流れで見れば、いわゆる「社会性動物」（特に哺乳類、なかんずく霊長類）に典型的にあてはまるものといえ、また、それは単に認知的な側面のみならず、愛憎といった情緒的な側面を含むものである（これは「ケア」的な関係の原初形態ともいえ、脳の進化にあてはめれば、大脳辺縁系と呼ばれる部位の発達がこうした情動の発達を支えているとされる。広井［一九九七］参照）。

そして人間の「コミュニティ」とより深く関係しているのが、(c)のレベルである。プロローグにおいて、人間のコミュニティというものの構造をその「内部」的関係性と「外部」的関係性の二重性、あるいは（河合雅雄の議論での）「重層社会」という点にそくして述べたが、これはまさにそうした構造の成立に対応するレベルであり、ポイントは、「自己意識」というものの成立こそは、そうした（二重性をもつ）「コミュニティ」の成立とパラレルな現象ではないか、という点にある。すなわち、上記のような「内部」的関係性と「外部」的関係性が二重の形で存在する時にはじめて、自己から他者へ向かうベクトルが、いわば反転する形で自己自身へと〝回帰〟し、そこに「自己意識」というものがはじめて成立すると考えられるのではないだろうか。

第7章

独我論を超えて

†独我論という主題

『僕って何』で一九七七年に芥川賞を受賞した三田誠広が一七歳のときに書いた小説『Mの世界』は、独我論者の話といってよい内容の作品である。その冒頭は次のようである。

「その時Mの意識は、異常なほどに高まっていた。青や赤の電燈に照らされた商店街を歩きながら、Mはこのごろ時として持病のようにおこる、一種奇妙な感情にとりつかれていた。それはいつも何の理由も前ぶれもなく、突如として彼に襲いかかってくるのであった。その感情にとりつかれると、ふいにあらゆるものが自分と無関係に思え、自分自身の肉体すらも、何か自分そのもの、意識の根元である真の自分そのもののとは、別のもののように思えるのであった。……彼の意識は、もはや全てのものに現実感を失っていた。商店街の美しく飾られたウインド、せわしげに街を行く大ぜいの人々、そしてその中を歩いている自分自身の肉体。そういった全てのものに、Mは丁度遠くから芝居を見ている時のような、ものうい白々しさを身に覚えるのであった。」

いま「独我論」と書いたが、ここではそれを〝自分以外の者（＝他者）の意識の内容や存在は確証できないとする考え方〟といった意味で用いている。独我論には様々なバリエーションがありえ、

① 他者の意識の存在そのものは認めるが、その「内容」は――たとえば私にとっての「赤」の感覚と他者のそれとが同じであるかどうかは確証できないというように――全く違ったものでありうるとするもの、

② 他者の意識の存在そのものも確証できないとし、したがって、単純な比ゆを使えば、他者は「できのよいロボット」（＝意識をもたない存在）である可能性があるとするもの、

③（②からさらに進んで）そもそも私が認識している世界以外は、その存在が証明でき

ないとするもの（「私がいま認識している世界がすべてであり、それ以外に世界は存在しない」「私の意識内容が世界のすべてである」）

という具合に、いわば比較的〝弱い独我論〟から〝強い独我論〟までがありうる。

ここで若干個人的な思い出を書かせていただくと、私自身が大学一、二年の頃、〝格闘〟していたのがこの独我論をめぐるテーマであり、当時、所属していたサークル「哲学研究会」の機関誌を復刊させた際、その復刊号に載せたのも「独我論という名の病」という原稿用紙六〇枚ほどの文章だった。

以上のような独我論に関する話は、多くの人から見れば全くとるに足りない、〝くだらない〟議論に映るだろうし、むしろそれがある意味で当然（ないし健全）である。ただし、以上の①〜③などを読んで感じた方もいるかと思うが、実は意外にこの独我論というのは〝論駁〟するのが難しいのである。たとえば①などは、心理学などを含め様々な領域で形を変えて問題になってきたし、「他人の心の中」はそれ自体としては〝直接〟観察することができない（まさに！）という点は否定できないがゆえに、前章でも少しふれたように、戦後のアメリカではそうした一切の「主観的」な要素を捨象して議論を進める「行動主義behaviorism」が（とりわけ一時期）一世を風靡したりした。また②なども、子どもの頃や若い頃などに、似たようなことを思ったことがある、という人は必ずしも稀ではないのではなかろうか。

いま独我論は意外に論駁しがたいということを述べたが、それは理由のあることであって、すなわち実は「近代的」と呼びうる人間観あるいは世界観そのものが、それを徹底すれば自ずと独我論的な了解に至るか、あるいは少なくともそれを否定できない構造をもっているからである。〝「近代的」と呼びうる人間観あるいは世界観〟とは、ここでの文脈では「意識の私秘性」の了解とでも呼ぶべきもので、つまり各個人というものは完全に独立した存在であり、その意識は個人の内部に完結している、という理解あるいは世界観である。

ここでは哲学的な議論にはあまり立ち入らないが、以上のような背景もあって、独我論に関連するテーマは、たとえば「他我認識」の問題（他者の意識はいかにして認識あるいは確証できるか）とか、より広くは「心身問題」（意識と身体ないし物質はどのような関係にあるか、あるいは物質からいかにして「心」が生じうるか）といった形で繰り返し議論されてきた。後者の「心身問題」は現代に続いているテーマであり、それは〝動物は心をもつか（あるいは生物進化のどの段階で「心」が生まれるか）〟といった問いとして議論されたり、もちろん現在では、「心-脳」問題（「物質」としての脳からいかにして「意識」が生まれるか、あるいは両者はいかなる関係にあるか）として探求されたりしている。つまりそれはある意味で現代科学の〝最前線〟の問題ともなっている。

しかし、再び個人的な経験を記させていただくならば、学生当時の私にとって、独我論の問題は、以上のようなこのテーマのもつ広がりに比して、次のような意味で意外にそれ自体としては徹底して議論されていないという印象を強くもっていた（さらにいえば、その中でこの問題をもっとも正面から論じていると思えたのが哲学者の故廣松渉氏の『世界の共同主観的存在構想』『事的世界観への前哨』等の一連の著作だった）。

それは日本に限らずヨーロッパやアメリカの哲学者の議論でもそのように見えたのだが、その理由のひとつとして当時感じられたのが、ヨーロッパなどの、つまり西洋哲学史の文脈では、「他者」の問題よりも、圧倒的に大きな意味をもっているのは「神」（絶対的な超越者という意味での）の存在であり、それが（哲学がいくら神学と区別され独立した存在であろうとも）根底に強く働いているという点であった。きわめて単純化した言い方になるが、「他者」の問題よりも「神」の問題のほうがはるかに大きく存在しているように感じられたのである。もう少し別の言い方をすると、たとえば人間の意識の構造を議論する場合でも、「私と他者」の〝非対称性〟ということはそれほど前面に出ることはなく、むしろ（たとえばカントの議論もそうであるように）人間（という類）が共通にもつ認識の構造や枠組みということが議論の中心となる。あるいは、神という存在の前では（あるいは仮に神という存在を明示的には掲げないとしても）、個人間の相違や自己と他者の非対称性といったものは背景に退く、といった前提的な了解がそこに感じられたのである。

†独我論と「普遍的な価値原理」

言い換えると、これは比較的最近になって思うようになったことなのだが、実は独我論というテーマは、（上記のように近代という時代に普遍的な意味をもつと同時に）意外にもある意味で〝日本的〟な性格を一部にもった問題なのではないか、ということである。つまり、独我論か、あるいは独我論に類似した問題や発想の立て方というのは、ある面で現在の日本社会（のような社会）において生じやすい問題なのではないかということだ。それは大雑把な把握としては、たとえば〝ひきこもり〟などといった問題と共通の根をもっており、その背景にあるのは、「自己」と「他者」の距離の遠さ、「ウチ」と「ソト」の断絶、そしてその「非対称性」の強さ、といった社会のあり方ないし人と人との関係性である。

ヨーロッパやアメリカなどの場合は、（どれほど教会に行く人も減り社会が「世俗化」しているといっても）やはり根底的にはキリスト教をベースとする世界観や規範原理、あるいは公共性に関する感覚が、社会やその日常のあらゆる側面に深く浸透している。このことに、私自身もそうした地域に滞在する中で痛感してきた。言い換えると、そこでは個人と個人とを〃つなぐ〃ような、ある種の「普遍的な原理」が確かにあるのである。

日本の場合は、第1章の「都市」に関する議論の中で似たようなことを述べたが、そうしたものが存在しないか、かりに存在するとしてもきわめて希薄である。

ここで「普遍的な原理」と呼ぶのは、言い方を変えると「〃集団を超えた〃規範原理」と呼んでもよいものだ。日本社会には、確かに一定の「規範」のようなものが存在しないわけではないが、その大半は、「集団」の内部に完結するような性格のものである。それはある会社における仕事の進め方や〃職場のルール〃であったり、あるサークルや会における慣行的な手順や作法であったりする。しかしそれらはその集団の「内部」においてのみ機能するもので、そこを離れると、あるいはその「ソト」の者には及ばない性格のものである。それは「原理」とか「普遍的なルール」といった性格のものではなく、まさに「空気」という言葉があてはまるような、集団内部の半ば暗黙の了解や行動様式である。

話を独我論との関係に戻そう。半ば話が脱線するようだが、先ほど大学一、二年の頃の私にとって独我論の問題が大きかったということを述べたが、もともとそのルーツは高校三年の時にあり、それは大学進学を前にして、「そもそも自分は大学に行くべきか（大学に行く必然性を見つけたわけでもないのにつまらない受験勉強をして大学に進もうとするのは、ある種の欺瞞か、親の期待する上昇のレールに乗るだけではないか）」という問いに始まって、「そもそも様々な選択や意思決定に迷ったりした時に、究極の価値判断の根拠あるいはよりどころとなるような基準や原理は何か」ということを考えるようになったのが始まりだった。そうしたいわば「価値（ないし規範原理）の問題」をあれこれ考えていくうちに、そもそもその前提として、自分がこうして生き、意識をもち、また他者や世界を認識しているとはどういうことなのか、ということにも疑問が及ぶようになり、その延長線上で、独我論の問題も浮かび上がってきたわけである。

要するに、このような形で自分にとって、

(1) 価値（規範原理）の問題

(2) 独我論の問題

がある種のセットとして存在していたのであるが、この両者は、その問いの立て方や表現の仕方、力点の置き方などは様々でありうるとしても、先ほど独我論について述べたように、現在の――正確には、おそらく高度成長期の後半（一九七〇年代頃）以降の――日本社会においてある種普遍的な広がりをもつものであるように思われる。

つまりそれは、「⑴価値判断や善悪の基準あるいは原理になるものがよく見えない（それを何に求めたらよいのかがわからない）」ということと、「⑵他者（あるいは他の集団）との距離が限りなく遠く〝非対称的〟である」という、日本社会のあり方ないし課題とそのまま重なっていると思えるのである。

そして、これにもうひとつ付け加えなければならない点がある。それは「経済成長」というテーマであり、このことが実は上記の⑴⑵の背景あるいは基盤として働いていたのではないだろうか。つまり、戦後の日本社会においては、ともかく「経済成長」（あるいは物質的な富の拡大）ということが〝国を挙げての〟目標となり、それがすべての「価値」となって、人々はそれに向けてひたすら邁進してきた。それは本書で論じてきたように「農村から都市への人口大移動」というプロセスと一体のものであり、またその時「単位」となったのは、プロローグから述べてきたように「カイシャ」と「（核）家族」という〝都市の中のムラ社会〟であった。

このように、「経済成長」ということが圧倒的な目標あるいは「価値」となり、また「すべての問題は成長によって解決される」と考えられ、〝分配の公正（平等）〟といった話題は脇に追いやられていったので――そして実際に一九八〇年代頃までは、そうした方向が少なくとも表面上はそれなりに機能したので――、「価値原理」などといったテーマは事実上無用とされた。一方、上記のようにそこでの単位はムラ社会的な集団で、「ウチ」と「ソト」の区別を強くもつものだったから、そうした単位がやがて〝縮小〟して「個人」になっていくと、あたかも個人一人ひとりが「閉じたムラ社会」のようになり、プロローグで見たように「社会的孤立」度の高い社会という性格を日本は強め、「独我論」的な土壌を作っていった。

議論をいったんまとめよう。以上述べてきたように、(1)独我論という問題（〜個人や集団の孤立）、(2)普遍的な価値原理の不在、(3)経済成長という目標への一元化、という三者は相互に深く連動している。これらを本章では、哲学関連の話題や、少々脱線気味に私自身の個人的な経験にそくして述べてきたが、それは戦後の高度成長期を中心とする日本社会のありようという、社会的な構造や時代背景をもつテーマでもあった。

そして言うまでもなく、本書の主題である「コミュニティ」も、あるいはいま日本社会においてコミュニティというテーマがもつ本質的な意味も、以上の三者が交差する現在という時代状況において立ち現れているのである。

†対応のあり方──「生きづらさ」をめぐって

では何がなされるべきか。どうすればよいのか。

基本的な方向自体は、ある意味で以上の議論と、本書でのここまでの考察から明らかともいえる。

すなわち第5章などで論じたように、市場経済の拡大ということが、人々の需要の面からも、また生産過剰という労働や供給の面からも、ある種の飽和状態に至り限界に達しつつあることを認識し、賃金労働時間を減らすとともにそれをコミュニティや自然等に関する活動の時間に振り向けていく（時間の再配分）。そこに生成するのが「市場経済を超える領域」であり、それは従来の営利と非営利、貨幣経済と非貨幣経済が交差するような領域であると同時に、「新しいコミュニティ」（独立した個人間の開かれた性格のつながり）の舞台ともなる。それはまた、これまでの「公―共―私」がクロスしていく性格をもっている。

そうした「新しいコミュニティ」の生成という方向は、ある意味ですでに各地で〝百花繚乱〟のように起こりつつあるともいえる。たとえば私はこのことを、昨年まで三年ほど関わっていたトヨタ財団の「地域社会プログラム」――全国の各地域での地域再生やまちづくり、福祉、環境等に関する活動への助成事業――に関する仕事や、千葉大学での福祉環境交流センター――大学とNPO等との連携を目的とするもので、現在、医療・福祉・環境等の関係のNPOなど八団体が曜日を代えて利用――の活動等を通じて感じてきた。

そうしたことを踏まえた上で、日本社会全体についていうならば、おそらく次のような点がこれからの日本社会における「新しいコミュニティ」、あるいはプロローグから論じてきた「都市型コミュニティ」を作っていくうえでポイントとなるのではないだろうか。

(1) ごく日常的なレベルでの、挨拶などを含む「見知らぬ者」どうしのコミュニケーションや行動様式

(2) 各地域でのNPO、協同組合、社会的起業その他の「新しいコミュニティ」づくりに向けた多様な活動

(3) 普遍的な価値原理の構築

このうち(2)は、先ほど述べたことと重なり、また第3章での「ローカルからの出発」という議論とも呼応している。一方、(1)はプロローグや第1章で論じたことからそのまま導かれるものである。これは、一見ささいなことのように見えて、実はその社会における人と人の関係性の根本に関わるものであり、変わっていくのは容易なことではなく、(数)十年単位の時間をかけた課題ともいえるものだろう。しかし希望的観測を述べれば、第1章で「関係性の進化」ということを論じたように、集団の「ウチ」と「ソト」への対応の落差の大きい現在の日本社会の関係性のありように違和感や齟齬を感じ、何とか徐々に変

えていきたいと感じている人が増えているのが現状ではないだろうか。

　このことは、たとえば大学で若い世代に接する中でしばしば感じることであり、たとえばあるゼミの学生は以上のようなことと「生きづらさ」との関連について印象深い卒論を書き上げたが、そうしたことも、今のままではまずいという〝シグナル〟のひとつといえるだろう。またある学生は期末のレポートで次のように書いている。


「……わたしにはブラジル移民の叔父がおり、大学の長期休暇を利用して、これまでその叔父の所に三度ほど世話になっている。私は初めてブラジルに行った時、『同じ人間なのにどうしてこうも文化が違うのだろうか』と驚いたものだった。なにしろ考え方が日本とは全く違うのだ。

　まず、日本から来たわたしが彼らの中にいてまったく気を使う必要がない。表裏もなく、相手が他人であろうが親しい人であろうが表裏なく接し、気軽に話をし、かつ会話がとぎれない。日本でいうところの『空気』が存在せず、他人の目を気にする必要がない。……

　私は日本に戻ってきてから、日本社会に違和感をもつようになった。違和感というのは、ようは生きづらさであった。敵意、閉塞感、無関心、陰悪さ、非社交的で排他的――私は日本の文化に対し、こうしたネガティブな印象をもったのであった。もちろん日本の文化にはよい部分も多分にあるだろう。しかし、このネガティブな印象は、そうした良い部分を相殺しても十分に余るほどのものだったのだ。」（強調引用者）

以上は短い滞在からの印象論なので、表層的な部分しか見ていないともいえる。しかしその上でなお、「日本でいうところの『空気』が存在せず」という一節に象徴されるように、現在の日本社会が抱えている問題（に対する若い世代の感覚）の一端をよく表現している文章だと思う。

†二つの「社会」

そして、こうした(1)のコミュニケーションや行動様式のありようは、(3)の「普遍的な価値原理の生成」とも関わってくる。本書の中で様々な形で論じてきたことだが、この両者の関係についてはやや見えにくいかもしれないので、少し角度を変えて述べると次のようになる。

ある意味でごく単純化した議論となるが、いま、次のような二つのタイプの社会があるとしよう。

(a) 物事の対応や解決が、主として「個々の場面での関係や調整」によってなされるような社会

(b) 物事の対応や解決が、主として「普遍的なルールないし原理・原則」によってなされるような社会

以上の二つを比べた場合、どちらの社会が「自由」だろうか。あるいは逆に「窮屈」と感じられるだろうか。

一見、(a)のほうが「自由」であり、また個々の状況に応じて〝柔軟〟な対応がなされるようにも見える。逆に、「原理・原則」などといったことを持ち出す(b)のほうは、〝杓子定規〟で融通がきかず、拘束が多いともいえる。

はたしてそうだろうか。かりにその「社会」が、メンバーの数が比較的少なく、主に〝顔の見える〟範囲の(かつメンバーの移動の少ない)つながりであるならば、確かに(a)のようなあり方のほうが物事に対して柔軟かつ臨機応変に、またスムーズに対応していける可能性が大きい。

ところが、たとえばその「社会」の規模がある程度以上の大きさであり、また〝水入ら

ず〟ではないような関係が多くなり、かつメンバーの出入りが多いようなものであるとするとどうだろうか。個々の場面ごとに、その相手との関係に応じて調整を行い、物事に対応していく(a)のようなあり方は、かえって大きなストレスを生み、逆に拘束度の強い「窮屈」なものとして感じられるようになるのではないだろうか。

これまでも幾度か本の中で述べてきたことだが、ある時テレビで「ひきこもり」状態にあったという二〇代の女性のインタビューが紹介されていたとき、彼女が（当時の）自分の心の状態を〝透明な真綿で全身を軽く圧迫されている感じ〟というように表現していたのが印象に残った。

この表現は、他でもなく(a)のような社会がもつ拘束性や、場合によっては「抑圧的」とも呼べるような窮屈さをよく表していると思われる。それは「明示的な禁止」や「言語化されたルール」はむしろ少ないのだが、個々の微細な調整が累積した「空気」が重く存在し、それによって身動きがとれなくなるような社会のあり方である。そして言うまでもなく、日本社会が潜在的に常にこうした方向に傾きやすい社会であることは確かである。それは第1章で〝稲作の遺伝子〟という比ゆ的な表現で論じたような、日本社会が置かれてきた風土や生産様式、そこでの社会構造の中で長い時間をかけて形成され蓄積されてきた関係性や行動パターンのありようであり、それが（農村から都市への急速な人口大移動という）社会の変化にまだ追いついていないのだ。

†日本社会のありよう

さらに言えば、(a)のような社会は、「個別の状況ごとの調整」という限りではプラスに響くものの、一歩間違えると、それはその当事者間の「力関係」や〝場の雰囲気〟によって物事が決められてしまうというおそれを常にはらんでいる。私自身の経験では、日本社会は、見えないところでこうした「力関係」で物事が動いている部分がなおかなり大きい社会であるように感じている。言い換えれば、先に(b)で示したような、普遍的な原理やルールで動く部分が相対的に少なく、ややもすればそうしたものは「〝建前〟であって〝現場〟では通用しない」といった言い方が簡単になされてしまいがちな社会という面が大きい。また、その人の年齢や性別といった〝属性〟がなお相当大きな意味をもっている社会であり——たとえば、ある会合のちょっとした場面で誰かがお茶を給仕しないといけないような状況になったとき、「なんとなく」女性がそれを行うのが暗黙のうちに期待されるといった小さなことを含めて——、女性の社会進出や管理職といったことがなかなか進まないのも、こうした点にひとつの実質的な背景があると考えられるだろう。

さらに日本において、労働基準法の労働時間規制などが半ば有名無実であり、先ほどの

「〝現場〟では通用しない」といった言い回しが文字通り「現場」において力をもったり、つきあい残業といったことを含めて、個人のよい意味でのドライな行動がなかなか浸透せず、結果として労働時間が減らないのも、(a)のような行動パターンが強いことに根本原因があるといえるだろう。

このように議論を進めていくと、読者の方々にはすでに明らかだと思うが、いま述べている(a)と(b)の社会とは、つまるところ、プロローグの表1で示した「農村型コミュニティ」と「都市型コミュニティ」ということと基本的に重なっている。そして、現在の日本社会にとって、少なくとも相対的に(b)の要素、つまり人と人とが、独立しながら、ルールや規範によってつながるような「都市型コミュニティ」の関係性のありようが特に求められているということも、ある意味ですでに本書の中で繰り返し論じてきたことである。

いま「少なくとも相対的に」というやや距離を置いた言い方をしたのは、他でもなく、ではすべて(b)のような社会のあり方にすればよいのか、というとそれはまた違うからである。重要なのは(a)と(b)双方のバランスであり、(a)のような要素が一切捨象され、(b)のようなあり方のみになれば、それはそれで全く別の意味で社会は硬直し、ある種の病理に陥る。

私自身の経験では、そのひとつの典型が(おそらく一九八〇年代頃から特に顕著になった)アメリカの社会であると思われる。そこでは言語化された規範やルールのみが人々を縛るようになり、(a)のようなコミュニティのつながりの実質が失われ、形式的な「自由」は存在するものの、それはいわば〝セキュリティでがんじがらめにされた自由〟となる。その意味では日本とは対極にありながら、関係性のあり方において根本的な問題を抱えているという点において共通している（付言すれば、(a)と(b)のバランスが比較的うまくとれているのは現在のヨーロッパ（どちらかというと北ヨーロッパ）であると私自身は感じている）。

また先ほど、(a)のようなあり方の問題点を述べるときに、「その『社会』の規模がある程度以上の大きさであり、また〝水入らず〟とはいえない関係が多くなり、かつメンバーの出入りが多いようなものであるとするとどうだろうか」という条件をつけた。つまり、(a)や(b)といったあり方は、一律にどちらがよいといえるものではなく、特に「農村―都市」という対比を軸として、その社会の置かれた自然環境や生産構造、規模等に応じて、それに適応したバランスのあり方が存在すると考えるべきだろう。それがまさに「関係性の進化」ということの実質をなすことになる。

†普遍的な原理が個人をつなぐ「通路」になる

ところで、本章の冒頭で述べた「独我論」との関わりについて補足しておきたい。ここでの議論のポイントは、「普遍的な規範原理（ないしルール）」の存在こそが、人と人とをつなぐ〝通路〟になるという点である。このことは、ここまで述べてきたことですでに示されているとも思われるが、少し説明を加えておこう。

一見、人と人とをつなぐものは「感情」や「共感」といったものであって、「普遍的な原理やルール」といった硬質で〝抽象的〟なものが人と人とを「つなぐ」通路になるといった言い方は、奇異に聞こえるかもしれない。

しかし考えてみよう。すでに互いをよく知っているような（家族のような）関係においては、そこで働いているのはもちろん感情や情緒のレベルでの強いつながりである。それは以心伝心といわれるような、言語以前的で〝水いらず〟の関係でもある。しかし「都市」あるいは「社会」においてはどうか。そうした感情的なつながりを不特定多数の人に対してもつということは事実上不可能だから、もしもそうした感情や共感レベルのつながりが圧倒的に優位な社会では、ごく一部の「ウチ」の関係を除いては、個人と個人とを「つなぐ」ものが存在せず、かえって個人と個人（あるいは集団と集団）の間の距離は遠くなり、孤立感が増すだろう。あるいは、集団ごとに「空気」ができてしまっているとすれば、外部の者は、いつまでもそこに〝入っていけない〟ということになるだろう。

つまり不特定多数の個人からなる「都市」的な社会において、人と人とを結びつけるのは（あるいはその契機ないし入り口となるのは）、むしろ「普遍的な原理やルール」なのである。その中には、ある意味で〝形式的〟な挨拶や御礼の言葉といったことも含まれるし、それは人間が（所属する集団の違いを超えて）〝人として〟遵守すべき規範原理であったり、言語化された共通の理念であったりする。

本章の中で、私自身が高三から大学生の時期に「独我論」と「（普遍的な）価値の問題」に直面したということを述べたが、まさにこのこともいま論じている話題の象徴的な一例だったといえる。つまり「普遍的な原理やルール」の存在しない社会においては、人はごく限られた範囲で感情や「空気」によってつながるしかなく——その典型がカイシャと家族だった——、それを超えた何か（＝集団を超えたつながりや原理）を見出せなくなった。その方向が徹底すると、あるいはその単位が「個人」にまで縮小すると、独我論的な世界は不可避となる。独我論は、逆説的にもその意味において〝時代の病〟ともいえる性格のものである。

本章では、①独我論という問題、②普遍的な価値原理の不在、③経済成長という目標への一元化という三者が（戦後の高度成長期以降の日本社会という社会構造を背景に）緊密に連動しているということをまず確認した。その上で、今後の（経済成長という目標の絶対視から抜け出た）成熟化ないし定常化の時代におけるコミュニティやつながりの構築において、

⑴ごく日常的なレベルでの、挨拶などを含む「見知らぬ者」どうしのコミュニケーションや行動様式、⑵各地域でのNPO、社会的起業その他の「新しいコミュニティ」づくりに向けた多様な活動、⑶普遍的な価値原理の構築がポイントになると述べ、特に⑶の「普遍的な価値原理（＝集団を超えた規範原理）の構築」について議論を展開した。

これらが多くの困難を伴う課題であることは確かだが、第4章や第5章で論じたような制度・政策や社会システムに関する（いわば〝目に見える〟）改革と並んで、こうした「関係性」の組み換えや「価値」に関わる課題群は、現在そしてこれから数十年の日本社会にとって核心にあるものと思えるのである。

終章

地球倫理の可能性——コミュニティと現代

最後に、前章で述べた「普遍的な価値原理」というものが、これからの日本そして世界においてどのような形でありうるかについて考えてみよう。それはまた、第3章での「グローバル化とコミュニティ」をめぐるテーマともつながる話題である。

†普遍的な思想の〝同時多発性〟

「普遍的な価値原理」というものは、ある意味で無限に多様な形をとりうるものだろうし、実際、世界に無数のものが存在しているといえようが、ここで非常に興味深い事実として、「普遍的な価値原理」と呼べるものとして私たちが知っている代表的なものが、人間の歴史上のある時期に、地球上のいくつかの地域で文字通り〝同時多発的〟に生じているという点がある。

すなわちそれは、今からおよそ二五〇〇年前、つまり紀元前五世紀頃を中心とする前後数百年の時期（紀元前八世紀から紀元前四世紀頃まで）であり、この時期に、ギリシャにおける哲学的思考、インドでの仏教思想、中国での孔子をはじめとする諸子百家の思想、イスラエルにおける旧約の思想が一気に生まれたのである。

これは科学史家の伊東俊太郎が「精神革命」と呼んだ時代であり、また哲学者のヤスパースが「枢軸の時代（Achsenzeit）」と呼んだ時代に相当する。伊東の説明を聞いてみよう。

「すなわちギリシャではタレスをはじめとするミレトス学派に始まり、ピタゴラス、パルメニデス、アナクサゴラス、デモクリトスの後に、さらにソクラテスにおける『魂の発見』を経て、プラトン、アリストテレスにいたる偉大な思想家たちが輩出する。インドでは正統派のウパニシャッドの哲学をはじめ、アジタ、パクダ、プーラナ、ゴーサーラ、サンジャヤ、ニガンタ・ナータプッタのいわゆる六師外道の哲学や、さらにはゴータマ・ブッダの仏教が生まれ出て、中国では孔子をはじめとして老子、荘子、墨子、孟子、荀子、韓非子などのいわゆる諸子百家があらわれた。さらにイスラエルでは、ヤハウェの神との契約に発する原始ヘブライ思想にもとづき、アモス、ホセア、イザヤ、エレミア、エゼキエルから第二イザヤにいたる一連のすぐれた預言者たちが活躍して旧約の神の純粋な信仰を説いた。」（伊東［一九八五］）

以上は事実関係に関するものだが、伊東はこれらの意味を次のように総括している。

「このうちギリシャ思想は理論的、インド思想は形而上学的、中国思想は処世的、ヘブライ思想は宗教的という大まかな性格の相違はあるにしても、それらはいずれもそれ以前の素朴な呪術的・神話的思惟方式を克服して、あれこれの日常的・個別的経験を超えた普遍的なるもの（ギリシャではロゴス、インドではダルマ、中国では道、ヘブライでは律法）を志向し、この世界全体を統一的に思索し、そのなかにおける人間の位置を自覚しようとするものであった。」（伊東前掲書、強調引用者）

つまりここでのポイントは、〝「人間」なるもの〟という普遍的な観念が生まれたという点である。どういうことかというと、もしある人が、ある個別の共同体の中にどっぷり浸《つ》かって生活をしていたとすると、そこでは（ある意味で逆説的にも）「人間」という自覚的な観念は生まれないだろう。そうではなく、複数の共同体ないし民族（あるいは文化）が出会い、互いの「相違」を強く感じ、しかし（自分の側だけを正当化するのではなく）そういった違いを超えてある共通の何かをそれら異なる共同体の人々がもっているということを（いわば第三者的・超越的な視点から）見出すに至った時に初めて、個々の共同体や民族、文化を超えた「人間」なるもの、という明確な観念が生まれるはずであろう。それがまさに「普遍的な〝人間〟という観念」や、「宇宙の中における人間の位置」をめぐる思索ということに重なるのである。同時にそれは、「〝個々の共同体を超えた〟人間」という意味合いをもつから、自ずと「個人」という明確な意識の自覚を伴うものであるだろう。

こうした「枢軸の時代」や「精神革命」に類似した理解として、宗教学者のベラーが展開した「歴史宗教（Historic Religion）」という概念がある。すなわち、ベラーは「宗教の進化」という理解の仕方を提案し、人間の宗教というものが歴史の中で「①原始宗教、②古代宗教、③歴史宗教、④近代宗教、⑤現代宗教」という大きなステップを踏んできたという議論を行う。若干私の解釈が入るが簡単に概観すると、①はもっとも原初的なものであり、自然の様々な事物や事象の中に単なる物理的なものを超えた何かを感じ取るような世界観・自然観をいい（自然信仰やアニミズムなど）、②はたとえばエジプトやメソポタミア等の（ある程度階層化された都市文明や王権のもとでの）言語化・体系化された宗教の形態をいう。

④の近代宗教と⑤の現代宗教はここでは置くとして、本書の文脈で重要となる③の歴史宗教についてのベラーの次のような説明を聞くと、それは先の伊東の「精神革命」やヤスパースの「枢軸の時代」に生まれた思想と呼応していることが理解されるだろう。

「歴史宗教はすべて普遍主義的である。人間はもはや、もっぱらどの種族や部族の出身であるか、あるいはどの神に仕えているかではなく、むしろ救済されうるものとして定義される。つまりは、初めて人間そのものを把握することが可能になったのである。」（ベラー［一九七二］、強調引用者）

ちなみにベラーが「歴史宗教」と呼んでいる中には儒教や仏教のほかにヒンズー教やキリスト教ひいてはイスラム教などが含まれているが、やはりその特質は「普遍的な原理」への志向にある。

†異なるコミュニティを「つなぐ（橋渡しする）」思想

以上、「精神革命」（伊東）あるいは「枢軸の時代」（ヤスパース）に生成した「普遍的な価値原理」を志向する思想ないし哲学についてまず確認したのだが、「コミュニティ」を主題とする本書の関心にとって重要なのは、これらの思想は、他でもなく異なるコミュニティ（あるいは民族、文化）を「つなぐ」存在として重要な役割を果たしたという点、いや単に「重要な役割を果たした」というより、まさにそうした複数のコミュニティをつなぐ「原理」そのものが、イコールそうした普遍的な思想だったという把握である。

たとえば儒教について見てみよう。私はここ数年JICA（国際協力機構）や社会保障関係の仕事その他を含めて中国に行くことが多いが、ある時期から次のようなことを痛感している。すなわち、儒教というのは（明治期以降、また特に第二次大戦後の）日本においては概して評判が悪く、〝前近代的〟とか〝封建的〟といったことの半ば代名詞として語られることが多い。しかしながら、それは多分に①「西欧近代」の眼を通じて見た儒教観の影響が大きく（ヨーロッパ世界が〝中国の停滞〟と一体のものとして半ば蔑視したこと）、かつ②そもそも儒教そのものが日本においてかなり変質した、という二重の意味でバイアスがかかっているという点である。むしろ儒教というものは、〝多民族国家〟ということを本質とする中国という地域において——この点の理解そのものが日本においてかなり欠落していると思われる——、複数の民族や共同体が、武力による解決ではなく、「言語」や規範を通じて共存するためのいわば「作法」として生成した思想であり、そこにこそ核心があるというべきだろう。ちなみに村上泰亮は『文明の多系史観』において、「孔子は、基本原理として抽象的な『仁』と『礼』を立てたのであり、『孝』『悌』『忠』等はそこから派生したより具体的な徳目にすぎないのである」と述べている（村上［一九九八］）。先ほど儒教が日本において変質したと述べたが、日本において儒教はむしろある種の〝「家族主義」的な倫理〟に矮小化された面があるといえるのではないだろうか。

といっても、ここでは儒教そのものが主題ではない。ここでのポイントは、先ほどから議論しているように、「精神革命」の時代に生成した思想あるいはベラーが「歴史宗教」と呼んだものは、いずれも何らかの形で、異なるコミュニティ（ないし民族、文化）が共存していくための原理として、すなわちそれら複数のコミュニティを「つなぐ」原理として生成したという点である。そしてそのことと、それらの思想がいずれも「普遍的」な志向、つまり特定のコミュニティや「集団」を超えた中立性ないし不偏不党性をもつということとはそのまま重なっている。

†「普遍的な思想」の「多様性」と〝リージョナルな住み分け〟

さて、ここでもうひとつ重要な点を指摘すると、そうした歴史上のある時期に同時多発的に生まれた普遍的思想は、たとえば先ほど引用した伊東の文章の中に「ギリシャ思想は理論的、インド思想は形而上学的、中国思想は処世的、ヘブライ思想は宗教的という大まかな性格の相違はあるにしても」といった表現があるように、「普遍性」をそれぞれがいわば自認しつつも、それらをさらに一歩外から眺めるならば、実はその内容において互いに大きく異なり「多様」な性格のものだったという点である。

特に仏教、儒教、そして（旧約思想が進化しより普遍性を強めた体系としての）キリスト教の三者について私なりの概括的な理解を述べれば、これらはそれぞれ、

- 「超越者」原理　……キリスト教の場合
- 「宇宙」原理　……仏教の場合
- 「人間」原理　……儒教の場合

とも呼ぶべき性格の価値原理であり（ただし儒教の場合は、「天」といった概念にも示されるように、〝非人格的な超越的原理〟ともいうべき性格をもっている）、それらはある意味で対極的とも呼べるほど異質の志向や内容をもったものである。しかしそうした相違にもかかわらず、いま論じている普遍性あるいは「つながり」という視点から見るならば、これらがいずれも〝異なる共同体（コミュニティ）に属する人間が「つながって」いけるための根拠や原理〟を説いたものであることは確かである。

その上で、では「なぜ」そうした内容的な相違や多様性があるのかという点に関しては、後の議論を一部先取りして述べるならば、それらの思想の生成した地球上の諸地域の「風土的な相違や多様性」がもっとも大きな背景としてあったと私は考えている。とりわけ人間と自然の関係のありようが、生命観ないし「人間―自然―神（あるいは超越的な存在）」の理解のあり方に根本的な相違をもたらしたのではないだろうか（この話題に関しては広井［二〇〇九］参照。また風土と超越者観念の関連について鈴木［一九七六］参照）。

さらにこの点を別の角度から見てみよう。一方で、これらの普遍性を内包した思想群は、（その普遍的な志向や内容それ自体を理由として）それぞれ一定の「グローバル」な伝播を果たしていった。しかしながら他方、現在のような強い意味でのグローバル化の時代に比べればその範囲はなお「リージョナル」な範囲にとどまっており、結果として地球上における「普遍的思想のリージョナルな住み分け」ともいえる構造が帰結し、かつそれによってそれぞれがその相違を維持しえた（つまり結果的に共存しえた）という理解が可能ではないだろうか。

もちろん、たとえば十字軍に見られるようにキリスト教とイスラム教の対立や〝勢力争い〟は中世の時代から局所的に常に存在したわけだが、こうしたある種の地理的な住み分けが真に揺さぶられ半ば崩れるのは近代以降、つまりより強いグローバル化の時代をまってである。根本的な逆説とも呼べることであるが、「普遍性」を志向する、あるいは自認する思想どうしが共存するということは、もっとも困難な（あるいは原理的には不可能ともいうべき）ことだからである。

†なぜこの時代に「普遍的な原理」を志向する思想が生まれたのか

以上、紀元前五〇〇年前後を中心とする数百年の時代に普遍的な志向をもった思想や哲学が生まれたことを見てきたのだが、ここで自ずと生じる疑問は、では「なぜこの時期に」そうした普遍的な規範原理を内包するような思想が生まれたのか、その背景は何だったのか、という問いだろう。

これについて、やや唐突に聞こえるかもしれないが、上記の「精神革命」という理解を行っている伊東俊太郎は、騎馬民族の移動ということが大きな契機ではないかと論じている。伊東の説明を聞いてみよう。

「すなわち定住的な農耕民族の大地母神的な静的な母権的文化にたいし、騎馬民族特有の父なる天の神を信ずる変動の多い、因習打破的な合理主義の父権的文化が侵入し、そこにひとつの共通した文化変容をひきおこしたと考えられるのである。ギリシャにおけるディオニュソスやデメテルの農耕文化的な秘儀宗教にたいし、オリンポスの天つ神を信仰するホメロスの明るい合理主義の宗教がそれであり、そこからイオニアの哲学が巣立っていく。中国では農耕的な社稷の神々を否定して、『怪力乱神を語らず』、もっぱら父なる天の道を説く孔子の教えがこれである。さらにインドでは、仏教や六師哲学に共通にみられる、それ以前の神秘主義的な思弁を排除したのがそれである。さらにイスラエルにおいては、天の神ヤハウェの信仰がいちど土着の農耕神、大地の神バールに吸収されたのを、ふたたび復活し、それを天地を創造した神としてもう一度すべてのうえに君臨させようとする旧約の預言者たちの運動がこれである」（伊東［一九八五］、強調引用者）

こうした理解の仕方については、伊東自身も「こうした考え方は、今日まだひとつの考え方にとどまる」としているが、ひとつの説得力ある把握であるように思う。また、以上の議論は本書の中での議論とも関連しており、つまり読者の方にも気づかれた人がいるかと思うが、伊東が以上の引用文のはじめで述べている、

・「定住的な農耕民族の大地母神的な静的な母権的文化」

・「騎馬民族特有の父なる天の神を信ずる変動の多い、因習打破的な合理主義の父権的文化」

という対比は、他でもなくプロローグの表1で「コミュニティの形成原理の二つのタイプ」として示している対比（あるいは同じくプロローグのその後の議論で述べている「関係の二重性」という論点）とほぼそのまま重なっているからである。さらに、以上のような把握は、本章で述べてきたような「異質なコミュニティが出会うところで、それらを第三者的な地点に立って〝つないで〟いくという努力の中で、普遍性を志向する思想が生まれる」という議論とも重なる。

ちなみに、経済学者の村上泰亮も『文明の多系史観』において、この時代における普遍的な思想の生成の背景として、一定以上の段階に達した農耕文明（伊東のいう都市革命ないしベラーのいう古代宗教の段階のもの）と「遊牧民族との接触」を挙げており、その上で、「要するに、元来の二つの社会は、階層的血縁社会という共通の枠の中にあるとはいえ、対蹠的といえるほど異質だった。このような極めて異質な社会組織原則が接触し反駁し、しかもそれらを総合しようとする努力がつづけられる中から、より普遍的な人間性の把握が生じ、今日われわれの知る有史宗教（引用者注：ベラーのいう歴史宗教）と、大文明帝国とが生れてきたのではないだろうか」と述べているが（村上［一九九八］）、基本的に伊東と同様の理解に属するものといえるだろう。

では、紀元前五世紀前後における普遍的な思想の〝同時多発的〟な生成の背景は、以上の伊東や村上の議論にあるような、一定段階に達した農耕民族と遊牧民族の接触ということを中心とする、異質なコミュニティの出会いにあると理解してよいのだろうか。

議論を急ぐようだが、私は、以上のようないわば〝水平的な要因〟――異なるコミュニティの接触――と同時に、〝垂直的な要因〟（＝ここでは「人間と自然」との関係に関する要因という意味）とも呼べるもうひとつの背景があったのではないかと考える。それは「農耕文明の成熟化・定常化」というべき事態である。

†文明の成熟化・定常化と規範原理

いま「農耕文明の成熟化・定常化」ということを持ち出したのは少々唐突に響くと思われるので、その趣旨を説明しよう。

きわめて巨視的な展望となるが、人間の歴史というものを大きな視野で振り返ると、そこに三度の「拡大・成長」と「成熟化・定常化」のサイクルがあったことを見出すことができる。この議論は前著（『グローバル定常型社会』）で詳しく展開したので、ここではその要点をかいつまんで述べることにさせていただきたいが、まず三度のサイクルということがもっとも見えやすい形で示されているのは「人口」に関することである。たとえばアメリカの生態学者ディーヴェイによれば、人類が登場してから現在に至る一〇〇万年の人口変動を概観すると、そこに次のような〝三つのサイクル〟を見ることができる。

すなわち、第一の人口増加は一〇万年以上前の時期で、これは人類が道具の使用・製作を始めた時期と重なる。第二の人口増加は紀元前八〇〇〇年から同四〇〇〇年頃の時期で、人々が農業を始め、また都市を作るようになった時期である。第三の人口増加は一八世紀以降から現在に続く時期であり、近代科学が生まれ産業化がスタートした時期である。

一九六〇年代に発表されたディーヴェイの議論は仮説的なものにとどまっていたが、近年の人口学的な研究は、以上のような把握が、基本的なところで間違っていないことを実証的なレベルで明らかにしようとしている。そうした一端を示しているのが図1で、これはいくつかの人口推計の研究を重ねたものであるが、必ずしも鮮明なものではないにせよ〝三つのサイクル〟というパターンを概ね見出すことができる。ちなみにこうした人口推計をベースにして、人類が生まれて以降の「世界のGDPの超長期推移」を推計する試みもある（デロングら。内容は広井［二〇〇九］参照）。

以上を踏まえた上で、さらに議論を急ぐことになるが、こうした人口や人間の経済活動の「拡大・成長」と「定常化」という視点を、先ほどの伊東俊太郎などの人類史に関する把握と合わせると、図2に示すような大きな理解の枠組みが浮かび上がってくる。

図2は、一見やや複雑に見えるかもしれないが、示していることは比較的シンプルな内容である。まず基本は、先ほどから述べている、人間の歴史にはこれまで「狩猟段階―農耕段階―産業化（工業化）段階」という三つの拡大・成長（及びその成熟化・定常化）というサイクルがあったという点だ。また図において「人類革命―農業革命―都市革命―精神革命―科学革命」という言葉で示されているのは、図の注でも説明しているように、伊東俊太郎が人間の歴史における根本的な変革期を「五つの革命」として把握している議論を指している。

そして、ここでの議論のポイントは、先ほども少し示唆したように、紀元前五世紀前後を中心とする普遍的な価値原理ないし規範原理を志向する

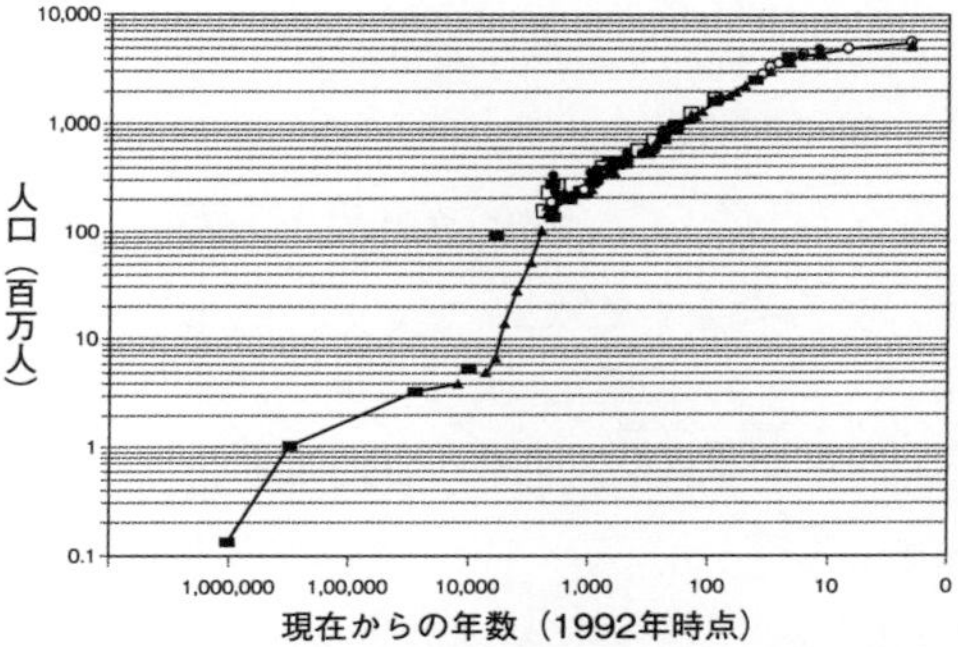

図１　世界人口の超長期推移（コーヘンらの推計）
（出所）Cohen（1995）

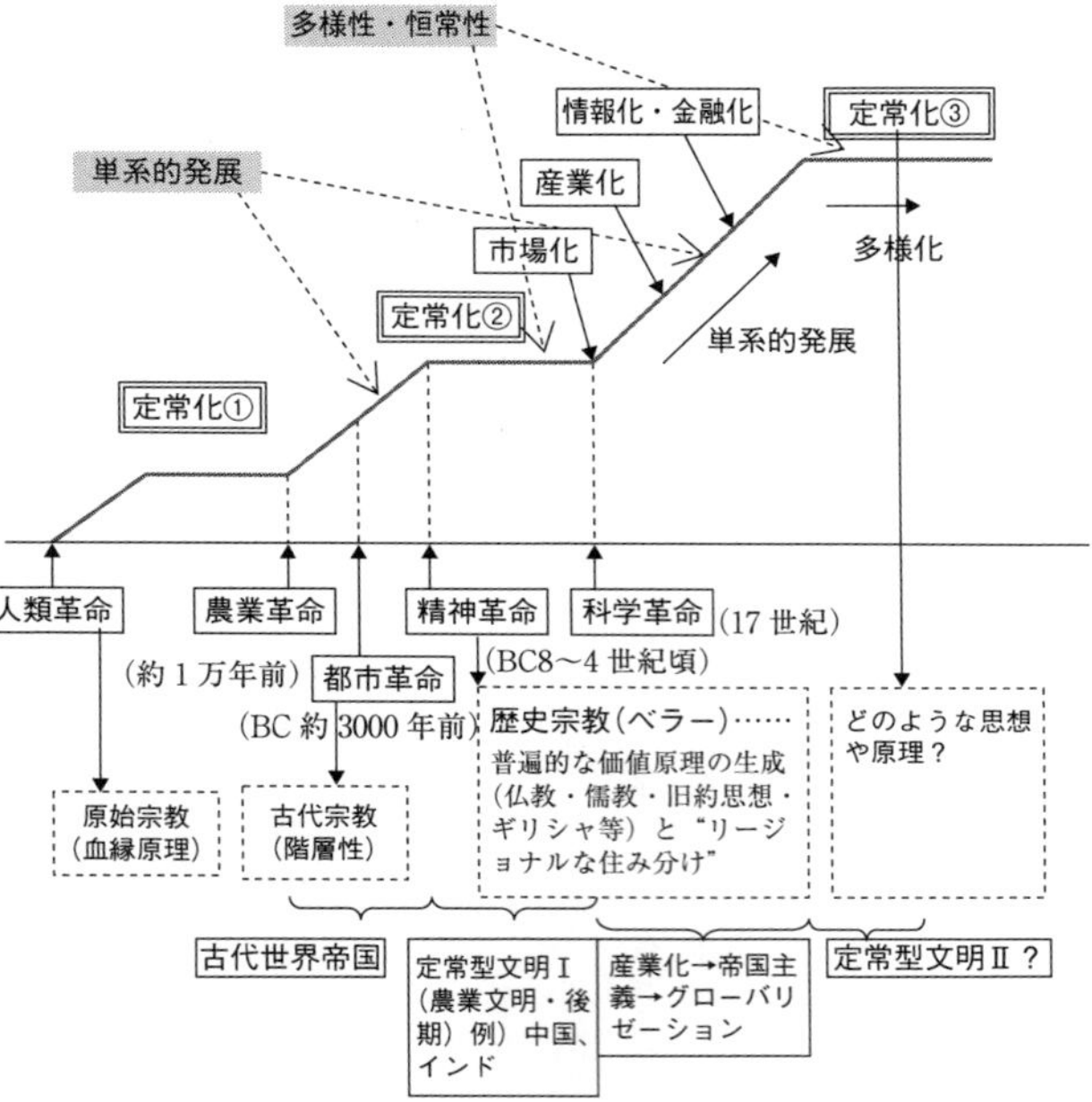

(注) 図において「人類革命/農業革命/都市革命/精神革命/科学革命」という言葉で示されているのは、伊東俊太郎が人類史における根本的な変革期を「5つの革命」として把握している議論を指している。このうち「都市革命」は、紀元前3500年頃から紀元前1500年頃にメソポタミア、エジプト、インダス川流域、黄河流域で生成した、強力な王権、階級分化、文字の発明、金属器の使用等を内容とする都市型文明の成立を指す。「精神革命」は本文中の議論の通り、紀元前5世紀を中心とする普遍的思想の生成であり、ヤスパースの「枢軸の時代」やベラーの「歴史宗教」と重なる。

図2　人類史の中の「定常型社会」

思想の生成（伊東のいう精神革命、ヤスパースの「枢軸の時代」、ベラーの「歴史宗教」）は、人間の歴史において、農業文明がある種の成熟化そして定常化の時代を迎えつつあった時代に、そのことを基本的な背景として（あるいはそれを先取りしつつ新たな価値原理として）起こったのではないか、という点である。

これは、なおごく仮説的な「視点」ともいうべきものにとどまるが、言わんとする趣旨は次のようなことである。

先ほどから見てきたような、紀元前五世紀前後に生成した普遍的な思想（ギリシャ哲学、儒教など諸子百家、仏教、旧約思想等）は、すでに論じてきたように、その特質として「普遍性」への志向ということを有していたが、同時にもうひとつの特質として、何らかの意味での〝物質的な拡大・成長から、内面的な深化や、欲望の際限なき拡大の「抑制」へ〟という方向を共通してもっていたのではないだろうか。ここでの「欲望の際限なき拡大の『抑制』」という点は、「（欲求に対する）規範原理」あるいは「自己規律」ということとも重なる。

ここで注釈を加えると、「農業」ないし「農耕」というと、産業化あるいは工業化の時代を生きてきた私たちにとっては、むしろ〝自然との共生〟といったイメージをもっており、したがって現在のような「環境問題」や〝自然破壊〟といったことは起こるべくもないと思われるかもしれない。しかしながら、それ以前の狩猟・採集段階の社会に比べれば、農業というものは大規模かつ体系的な〝開発〟あるいは〝自然の搾取〟という側面を（少なくとも潜在的に）もっていたのであり、また実際、たとえば家畜が植物や森林等を食い尽くしたり、木材を伐採し尽くしたりして崩壊した農業文明というものは歴史上に多く存在する（石・安田・湯浅［二〇〇一］、ポンティング［一九九四］等）。いずれにしても、農業を基盤とする社会や文明が、ある程度以上発達した段階で、自然・資源制約にぶつかったり、あるいは逆に（現在の先進諸国がそうであるように）何らかの生産過剰に陥る、という事態は十分にありうるわけで、そうした状況、つまり農業文明のある種の成熟期（ないしその過渡期）において、それをいちはやく予見し、または警鐘を発する形で、以上のような「物質的・量的な拡大から内的な深化へ」という志向をもった思想が生成することはむしろ自然なことといえるだろう（なお、古代の中国における「環境問題」の生成とそれに対する様々な思想的対応について浅野［二〇〇五］）。

振り返れば、先ほどこの時代における普遍的思想の生成の背景として〝水平的な要因〟と〝垂直的な要因〟ということを指摘したのだが、整理すると、

A　〝水平的な要因〟……異質なコミュニティの接触　→普遍性への志向

B 〝垂直的な要因〟……農耕文明の成熟化・定常化　→内的深化や規範原理への志向

ということになり、いま議論しているのはこのBの要因である。Aは「人間と人間（コミュニティとコミュニティ）」との関係に関わる要因であり、Bは「人間と自然」との関係に関わる要因ともいえる。いずれにしてもこうした背景において「精神革命」ないし「枢軸の時代」の思想群は生成したのではないだろうか。

ちなみに、これらに関連する議論を、先にも言及した村上泰亮は「農業文明・後期」という視点を併せながら次のように述べている。

「そもそも人間には、能動的に突破を求める性向と、受動的に調和を求める性向との二つの面があるだろう。たとえば、有史宗教（引用者注：先のベラーの『歴史宗教』のこと）の中でも、キリスト教は前者を潜在的に含み、ヒンヅー教・仏教・儒教などの東方型宗教は後者を明示的に体系化している。……農業社会段階の前半期は一様な進歩のテーマが主導しており、そして現在までの産業社会段階前半期のライトモチーフも、明らかに進歩であった。しかし、それらの間に挟まれた農業社会後半期のモチーフは、多様性と恒常性ではなかったろうか。農業社会段階の資源・技術のパラダイムがある程度限界に達したとき、人類の関心は『生産』の拡大から『文化』の深化に向かったのではなかったろうか。もしもこの捉え方が正しいとすれば、東方型有史宗教に基づく中国やインドの文明は、まさしく農業社会段階後半期の主役として再評価されることになるだろう。」（村上［一九九八］、強調引用者）

＊日本における「文明の乗り換え」と〝普遍的価値原理の空白状況〟

紀元前五世紀前後の「精神革命」を契機に、そうした「普遍的な思想」が地球上の各地域に広がっていき、その〝リージョナルな住み分け〟がなされたと述べたが、日本についてはどうか。日本は東アジアにおける「仏教・儒教圏」の辺境に位置することになり、そうした普遍的な思想と、ローカルな自然信仰（後に神道と呼ばれるようになるもの）を混合させていったことになる（こうした在来信仰と外来の普遍的思想の混合というパターンはヨーロッパ、アジア等を含め世界の各地域において広く見られる）。

しかし明治期以降、欧米列強の進出に直面する中で、日本は西欧近代の思考枠組み及び技術へのいわば「文明の乗り換え」を行った。しかしその基盤にある価値原理（キリスト教）は受容せず、かつ江戸期までの（仏教・儒教の）価値原理は大方捨象していったため、ここに〝普遍的な価値原理の不在〟という、目に見えにくい、しかし深刻な事態が生じたことになる（もちろん明治政府はそれを天皇を中心とするナショナリズム的な価値原理によって置換・統合しようとしたわけであるが)。

さらに第二次大戦の敗戦により、そうしたナショナリスティックな価値原理も否定されることになり、戦後の日本社会は文字通り〝価値原理の空白〟に置かれることになった。その結果、戦後の日本人にとって事実上〝信仰〟とも呼べるような絶対的価値になったのは、他でもなく「経済成長」という目標であったといえるだろう。

†「定常化の時代」としての現在――精神革命期との同型性と差異

ここまで議論を進めると、最終的に問題になってくるここでのテーマが何であるかが自ずと浮かび上がってくるだろう。

すなわち、現在の私たちは、人間の歴史の中で大きくは三度目の「定常化」の時代――一九世紀後半の産業革命以降の、約二〇〇年強の急速な産業化及びそれに伴う人間の経済活動や生産・消費の飛躍的な拡大とその飽和・成熟化――を迎えつつあるのだが、それはちょうど紀元前五世紀前後に、普遍的な原理を志向する思想が地球上で〝同時多発的〟に生成した時代とある意味で同型の時代状況――拡大・成長から成熟化・定常化への移行という点において――であり、その意味において、再びそうした何らかの新たな根本的な思想の生成が待たれている時代ではないか、という点である。さらにこの話題は、前章で浮かび上がった（日本社会における）普遍的な価値原理の重要性という課題と、異なる次元ではあれクロスすることにもなる。

ではそれはどのような思想ないし哲学、原理、理念等々であるのか。

この問いに対し、私はここで明瞭なひとつの答えを示すことができないが、現時点で考えうる点として、次のようなことはいえるのではないかと考えている。

それは、もしそうした思想や価値原理がありうるとしたら、第一に「有限性」ということ、第二に「多様性」ということを重要な要素としてもつ思想となるのではないかという点だ。そしてこの両者はいずれも、ここで論じてきた紀元前五世紀前後の「精神革命」の時代に生成した普遍的な思想群とは異なる性格をもっている。

まず「有限性」という点だが、これは「宇宙」に対する「地球」ということと関わっている。"「宇宙」に対する「地球」"という表現は奇妙に聞こえるかもしれないが、それは次のような趣旨である。「精神革命」あるいは「枢軸の時代」に生まれた思想群は、先ほど見たように何らかの意味での"宇宙における人間の位置"ということを基本的な関心として提出していた。この場合、宇宙とは（現代の私たちが自然科学的な意味でいう「宇宙」というのとは少し異なって）「人間がその中で生きる世界の全体」、"自然の森羅万象"といった意味合いのもので、それはある種の「無限性」を帯び、"果てのない全体"とも呼ぶべき性格のものだった。逆にいえば、「精神革命」期の思想においては、〝地球という有限な舞台の中でそこに住む人間〟という発想は、きわめて希薄かほぼ不在であったといえるだろう。

　これに対して現在では、様々な地球環境問題や地球レベルでの資源・エネルギーの有限性の顕在化、また経済のグローバル化ということと表裏のものとして、（有限な）「地球」という観念が、ある意味で人々の日常的な意識にまで浸透するようになっている。これは「精神革命」や「枢軸の時代」とは根本的に異なる状況である。そうした中で、〝宇宙における人間の位置〟という発想あるいは問題設定に対して、無限の「宇宙」はむしろ有限性をもった「地球」に置き換わり――〝果てのない全体〟ではなく〝果てのある全体〟――、他方「人間」のほうは、普遍性や独立性をもった存在であると同時に、〝「地球というコミュニティ」の一員としての存在〟という意識が、おそらく世界史上初めての形で生成しつつある。

　論理として考えるならば、一方でこうした「地球コミュニティ」という意識が徐々に展開していき、他方で、あくまで独立した「個人」としての人間というベクトルが発展していくならば、それはちょうどプロローグの表1での、それぞれ「共同体的な一体意識」と「個人をベースとする公共意識」に対応するものといえるだろう。そして本書で論じてきたように、もしもこの両者のベクトルが相互に補完する形で発展していくとしたら、そこにひとつの（精神革命や「枢軸の時代」に相当するような）新たな価値原理が生成する可能性がある。

†「地理的多様性」を組み込んだ思想

以上は「有限性」に関してだが、もうひとつの「多様性」は次のようなことを意味する。先ほど論じたように、紀元前五世紀前後の「精神革命」の時代に生成した思想群は、「普遍性」への志向をもつと同時に、しかしそれを一歩外から見ると、それぞれはその生まれた地域の風土的環境を色濃く反映した世界観をもっていた（人間と自然の関係、そして超越者の基本理解など）。そうしたことも反映して、実際にはそれらの思想や宗教は地球上の各地域において〝リージョナルな住み分け〟を行うという形になり、そうであるがゆえに、それぞれが「普遍性」を主張していられた。つまり「普遍性」を主張する異質な思想がかろうじて〝共存〟することができたのだが、こうした形での共存が根本的に困難であるのが現在のグローバル化の時代である。

対応は論理としては二つ考えられるだろう。第一は、やや大げさに響くかもしれないが、いわば「メタ普遍思想」（あるいはメタ文明）とも呼ぶべきものの生成であり、精神革命の時代（とそれ以降）に生まれた様々な普遍的思想群（仏教、儒教、キリスト教等）のさらに上位に立つような、言い換えるとそれらの（実質的にはリージョナルな限界を帯びていた）思想をさらに包含するような普遍性を志向する哲学の可能性である。

第二は、「普遍性」よりもむしろ「多様性」ということを積極的に組み込んだ思想ないし哲学の可能性であり、地球上の各地域の風土的・文化的な多様性やローカルな独自性を重視して、そこから出発するという方向である。

こうした点は、単に哲学や理念の問題ではなく、ローカルからグローバルに至る様々な制度や社会システムをどう構想していくかという、ごく現実的な次元とも直結する。

私自身は、前著『グローバル定常型社会』の中で、後者の方向を志向した議論を展開し、また本書の第3章でも「ローカルからの出発」という理念にそくして、それに呼応するような内容を述べた。すなわち、紀元前五世紀前後の精神革命ないし「枢軸の時代」の思想は、人間の普遍性に重点を置いており、各地域のローカルな多様性といったことはさほど重視しなかったが、今後は地球上の各地域の風土的・環境的多様性こそが立脚点になるのではないか。それはやや象徴的にいえば、歴史よりも地理を、時間よりも空間を重要な基礎概念とする思想になるはずだ。

また、成長・拡大の時代には、世界が「ひとつの方向」に向かうという発想が支配的となり、〝進んでいる―遅れている〟という時間的な座標軸によって世界が位置づけられるという（たとえばヘーゲル的な）歴史の論理が強調されたが、これからの定常期においては各地域の地理的・空間的な多様性や固有の価値こそが鍵となるだろう。

とはいえ、そのように「ローカルからの出発」という方向を考えていく場合でも、ローカル、ナショナル、リージョナルといった各レベルのコミュニティや社会は完全に孤立して存在するわけではないので――そうした孤立や伝統の保全もまた積極的に認められるべきであるという点は十分に確認しておきたいが――、コミュニティ相互のコミュニケーションやグローバル・レベルの普遍的な価値原理というテーマを無視できることにはならない。むしろその二つの、つまりローカルとグローバルに向かうベクトル、言い換えれば「コミュニティ」の内と外に向かうベクトルの緊張関係のうちにそうした思想は生成していくべきだろうし、実はこの二つのベクトルとは、他でもなく本書の中で一貫して論じてきた人間のコミュニティの「関係の二重性」（内部的な関係性と外部的な関係性）ということと重なっているのである。

†おわりに――コミュニティと時代構造

まとめよう。本章において、人間の歴史が三度の「拡大・成長」と「定常化」のサイクルをへてきたという議論を行ってきた。この場合、そもそもその両者を分かつものは一体何だろうか。また「コミュニティ」との関係はどうか。

つまるところ、狩猟段階―農耕段階―産業化段階それぞれの前半期をなす拡大・成長の時代とは「人間と自然」の関係が大きく変わる時代――より正確には、人間が自然からエネルギーを引き出す様式が根本的に変化し、自然を〝収奪〟する度合いが増幅する時代――であったといえる。これに対し、各段階の後半期たる定常化の時代とは、資源制約の顕在化やある種の生産過剰の結果として、人々の主たる関心が「人間と人間」の関係あるいは「人」そのものに移り、自然の新たな収奪や物質的・量的拡大という方向ではなく、個人や文化の内的な発展あるいは質的深化とともに、「ケア」、そして（人と人との関係のありようという意味での）コミュニティというテーマが前面に出る時代となる。同時にそこでは、本章で述べてきたような新たな価値原理の追求が課題となる。これは、私たちが生きるこの時代において、「コミュニティ」というテーマが大きく浮上するいわば第一の文脈であり、その〝人類史的な次元〟とも呼べるものである。

しかしコミュニティというテーマが本質的な意味をもって立ち上がる時代の文脈はそれだけではない。すなわちその第二の文脈として、私たちがいま迎えつつある時代は、第5章で論じたように、一八―一九世紀前後から大きく進行してきた市場経済の拡大ひいては資本主義の展開という流れが成熟ないし定常期に入り、その飽和とともに「市場経済を超える領域」が大きく展開する時代であり、そこでは「新しいコミュニティ」の創造ということが中心的な課題となる。

この点に関し、（第2章でも少しふれた）アメリカの都市経済学者のリチャード・フロリダは『クリエイティブ資本論』の中で、資本主義がその展開の極において、「働くこと」の動機づけにおける〝非貨幣的な価値〟の重要性の高まりや、コミュニティあるいは「場所」というものの意味の再発見といった新たな局面に向かうという議論を展開している。これらは資本主義が本来内包しない価値群であり、資本主義の〝反転〟を示唆すると同時に、その先に展望されるのは、第5章でも述べた、市場と政府とコミュニティ、あるいは「資本主義と社会主義とエコロジー」がクロス・オーバーするような社会像である。

こうした方向は、産業化が成熟化した後の時代をすでに迎えている〝先進諸国〟が共通して直面している状況であり、コミュニティというテーマをめぐる〝ポスト資本主義的な次元〟とも呼びうるものだ。

さらに、「コミュニティ」というテーマが私たちにとって大きく立ち現れる第三の文脈がある。すなわちそれは、後発型の都市化や産業化のプロセスを、急激に、かつ文化の改変を伴う形で行ってきた日本という社会が、固有の形で、本書の中で繰り返し論じてきた

「関係性の組み換え」あるいは「独立した個人のつながり」の確立という、困難な課題としてくぐり抜けようとしている文脈である。

「コミュニティ」をめぐる課題群は、以上のような三重の意味——①人類史的な次元、②ポスト資本主義の次元、そして③日本社会固有の次元——で、私たちが生きる時代の構造変化の核に位置するものであり、そうした大きな広がりの中で認識され、その新たな生成に向けて様々な対応や具体的実践が行われていくことが求められているのである。

参考文献

青木仁［二〇〇四］『日本型魅惑都市をつくる』日本経済新聞社。

浅野裕一［二〇〇五］『古代中国の文明観』、岩波新書。

ベネディクト・アンダーソン（白石さや他訳）［一九九七］『想像の共同体――ナショナリズムの起源と流行』、NTT出版。

伊東俊太郎［一九八五］『比較文明』、東京大学出版会。

五十嵐敬喜［二〇〇六］『美しい都市と祈り』、学芸出版社。

石弘光［二〇〇八］『現代税制改革史』、東洋経済新報社。

石弘之・安田喜憲・湯浅赳男［二〇〇一］『環境と文明の世界史』、洋泉社。

岩井克人［二〇〇三］『会社はこれからどうなるのか』、平凡社。

岩田規久男・小林重敬・福井秀夫［一九九二］『都市と土地の理論』、ぎょうせい。

リチャード・G・ウィルキンソン（池本幸生他訳）［二〇〇九］『格差社会の衝撃――不健康な格差社会を健康にする法』、書籍工房早山。

マックス・ウェーバー（世良晃志郎訳）［一九六四］『都市の類型学』、創文社。

上田篤［二〇〇三］『都市と日本人――「カミサマ」を旅する』、岩波新書。

内田亮子［二〇〇八］『生命をつなぐ進化のふしぎ――生物人類学への招待』、ちくま新書。

大西隆［二〇〇四］「サステイナブルなまちづくり」、（財）民間都市開発推進機構都市研究センター編

［二〇〇四］所収。

大場茂明［一九九九］「ドイツの住宅政策」、小玉徹他［一九九九］所収。

岡部明子［二〇〇三］『サステイナブルシティ』、学芸出版社。

小倉紀蔵［二〇〇一］『韓国人のしくみ――〈理〉と〈気〉で読み解く文化と社会』、講談社現代新書。

海道清信［二〇〇一］『コンパクトシティ――持続可能な社会の都市像を求めて』、学芸出版社。

金子郁容他［一九九八］『ボランタリー経済の誕生――自発する経済とコミュニティ』、実業之日本社。

鎌田薫［一九七八］「フランスにおける所有権の自由とその制限」、日本土地法学会［一九七八］所収。

鎌田東二［一九九一］「南方熊楠と神社合祀反対運動」、荒俣宏・環栄賢編『南方熊楠の図譜』、青弓社。

河合隼雄［一九九四］『青春の夢と遊び』、岩波書店。

河合雅雄［一九九〇］『子どもと自然』、岩波新書。

菊池理夫［二〇〇七］『日本を蘇らせる政治思想――現代コミュニタリアニズム入門』、講談社現代新書。

黒川紀章［二〇〇六］『都市革命――公有から共有へ』、中央公論新社。

小玉徹他［一九九九］『欧米の住宅政策』、ミネルヴァ書房。

近藤克則［二〇〇五］『健康格差社会』、医学書院。

齊藤広子・中城康彦［二〇〇四］『コモンでつくる住まい・まち・人』、彰国社。

（財）都市計画協会編［二〇〇七］『コンパクトなまちづくり』、ぎょうせい。

佐々木雅幸［二〇〇一］『創造都市への挑戦』、岩波書店。

J・ジェイコブズ（黒川紀章訳）［一九七七］『アメリカ大都市の死と生』、鹿島出版会。

司馬遼太郎［一九八〇］『土地と日本人（対談集）』、中公文庫。

鈴木秀夫［一九七六］『超越者と風土』、大明堂。

都市開発制度比較研究会編［一九九三］『諸外国の都市計画・都市開発』、ぎょうせい。

内閣府国民生活局編［二〇〇三］『ソーシャル・キャピタル』、国立印刷局。

中沢孝夫［二〇〇一］『変わる商店街』、岩波新書。

中根千枝［一九六七］『タテ社会の人間関係』、講談社現代新書。

西川幸治［一九九四］『都市の思想（上）』、日本放送出版協会。

日本住宅会議編［二〇〇〇］『住宅白書2000：21世紀の扉を開く』、ドメス出版。

日本住宅会議編［二〇〇七］『住宅白書2007―2008：サステイナブルな住まい』、ドメス出版。

日本土地法学会［一九七八］『土地所有権の比較法的研究』、有斐閣。

同［一九八五］『ヨーロッパ・近代日本の所有観念と土地公有論』、有斐閣。

日本の土地百年研究会編著［二〇〇三］『日本の土地百年』、大成出版社。

野口悠紀雄［一九八九］『土地の経済学』、日本経済新聞社。

野村総合研究所［一九八八］『地価と土地システム』、野村総合研究所。

長谷川敏彦［一九九三］「日本の健康転換のこれからの展望」、武藤正樹編『健康転換の国際比較分析とQOLに関する研究』、ファイザーヘルスリサーチ財団。

ロバート・パットナム（柴内康文訳）［二〇〇六］『孤独なボウリング――米国コミュニティの崩壊と再生』、柏書房。

原田純孝［一九七八］「フランスの公的土地取得法制」、日本土地法学会［一九七八］所収。

同［一九八五］「フランスの現代土地法制と「土地公有」」、日本土地法学会［一九八五］所収。

日笠端［一九八五］『先進諸国における都市計画手法の考察』、共立出版。

日端康雄［二〇〇八］『都市計画の世界史』、講談社現代新書。

開一夫・長谷川寿一編［二〇〇九］『ソーシャルブレインズ』、東京大学出版会。

平竹耕三［二〇〇六］『コモンズと永続する地域社会』、日本評論社。

広井良典［一九九四］『生命と時間』、勁草書房。

同［一九九七］『ケアを問いなおす――〈深層の時間〉と高齢化社会』、ちくま新書。

同［二〇〇〇］『ケア学――越境するケアへ』、医学書院。

同［二〇〇一］『定常型社会――新しい「豊かさ」の構想』、岩波新書。

同［二〇〇三］『生命の政治学――福祉国家・エコロジー・生命倫理』、岩波書店。

同［二〇〇五］『ケアのゆくえ　科学のゆくえ』、岩波書店。

同［二〇〇六］『持続可能な福祉社会――「もうひとつの日本」の構想』、ちくま新書。

同［二〇〇九］『グローバル定常型社会――地球社会の理論のために』、岩波書店。

同編［二〇〇八］『「環境と福祉」の統合』、有斐閣。

広井良典・大石亜希子・加藤壮一郎［二〇〇九］『土地・資産をめぐる格差と社会保障及び関連政策（都市・住宅・コミュニティ政策）の展望』、全労済協会。

廣松渉［一九七二］『世界の共同主観的存在構造』、勁草書房。

同［一九七五］『事的世界観への前哨』、勁草書房。

藤井直敬［二〇〇九］『つながる脳』、NTT出版。

リチャード・フロリダ（井口典夫訳）［二〇〇八］『クリエイティブ資本論』、ダイヤモンド社。

プリゴジン&スタンジェール（伏見康治他訳）［一九八七］『混沌からの秩序』、みすず書房。

ロバート・ベラー（河合秀和訳）［一九七三］『社会変革と宗教倫理』、未来社。

カール・ポランニー（吉沢英成他訳）［一九七五］『大転換』、東洋経済新報社。

クライブ・ポンティング（石弘之訳）［一九九四］『緑の世界史（上）（下）』、朝日新聞社。

本間義人［二〇〇四］『戦後住宅政策の検証』、信山社。

同［二〇〇六］「住宅政策の新たな展開」『生活経済政策』、No.116。

真木悠介［一九九三］『自我の起原』、岩波書店。

増田四郎［一九九四］『都市』、ちくま学芸文庫。

松永安光・徳田光弘［二〇〇七］『地域づくりの新潮流――スローシティ・アグリツーリズモ・ネットワーク』、彰国社。

松本忠［二〇〇四］「北欧」、（財）民間都市開発推進機構都市研究センター編集［二〇〇四］所収。

水島信［二〇〇六］『ドイツ流　街づくり読本』、鹿島出版会。

（財）民間都市開発推進機構都市研究センター編集［二〇〇四］『欧米のまちづくり・都市計画制度』、ぎょうせい。

村上泰亮［一九九八］『文明の多系史観』、中央公論新社。

目良浩一他［一九九二］『土地税制の研究――土地保有課税の国際比較と日本の現状』、（財）日本住宅総合センター。

山口健治［一九九六］『土地は公共財』、近代文芸社。

山本英治編［二〇〇五］『地域再生をめざして』、学陽書房。

湯浅赳男［二〇〇〇］『コミュニティと文明』、新評論。

横浜市［二〇〇八］『調査季報　横浜の政策力』一六二号、横浜市都市経営局調査・広域行政課。

義江彰夫［一九九六］『神仏習合』、岩波新書。

ジェイムズ・ロバートソン（石見尚他訳）［一九九九］『21世紀の経済システム展望――市民所得・地域貨

幣・資源・金融システムの総合構想』、日本経済評論社。
和辻哲郎［一九七九］『風土』、岩波文庫。
ＯＥＣＤ［二〇〇五］『世界の社会政策の動向』、明石書店。

Cohen, Joel E. [1995], *How Many People can the Earth Support?*, Norton.
Davies, James B. et al [2008], "The World Distribution of Household Wealth," Discussion Paper No. 2008/03, UNU-WIDER.
Ichiro Kawachi et al (eds) [2007], *Social Capital and Health*, Springer.
OECD [2007], *Employment Outlook 2007*.

あとがき

アンジェラ・アキの『手紙』という歌がNHKの全国中学校合唱コンクールの課題曲になり、一般にもヒットした。一五歳の「僕」が、「未来の自分」に対して手紙を書き、またその未来の自分が過去の「僕」に対して返事を書くといった内容の歌詞である。私はたまたまそのコンクールの様子などをテレビで見たりする機会があったのだが、この歌はやはりある種の普遍的なメッセージをもっていて、多くの人がそうであるように、様々な思いや感慨が喚起された。

「あとがき」をこの話題で始めたのは、本書で扱っているテーマや内容、特に第7章で書いたような中身を見ると、過去の自分から、他ならず「五〇近くにもなって結局同じようなことを考えているんだな（しかも大して進歩もなく）」と言われそうな気がしたからである。あまり簡単に一般化はできないとは思うが、人間は確かに、思春期や二〇歳前後の頃に考えたような問題――いわば〝原問題〟――を、形を変えながら、一生考え続けるという面をもっている。

私自身の場合、第7章でも少し記したように、経済成長と人間の幸せ、価値判断の究極的な基準、他者とのつながりの根拠といった話題は、そうした一連の原問題をなしており、本書でそれらを比較的まとまった形で、かつ相互に関連づけながら論じることができたのは、全くの自己満足とはいえ、幸いなことだったと感じている。そしてさらに言えば、以上のようなテーマ群は、決して私のみが感じたり考えたりしていた事柄ではなく、現在の日本社会に生きる多くの人が、その問いの立て方やアクセントの置き方は異なるものであっても、何らかの形で直面したり思いをはせている内容であると思えるのである。

さてもう少し広く、本書で扱った話題の全体にそくして、自分のこれまでの仕事の中でのこの本の位置づけについて記させていただくと、それは、

(1) 「ケア」というテーマが発展して自ずとコミュニティというテーマに行き着き、さらにその「空間」や「場所、土地」という次元に及んだという側面、

(2) 都市計画やまちづくり、地域再生といったテーマそれ自体への固有の関心（これは、定常型社会においては空間や地理、ローカル性が重要となるという理解ともつながる）、

(3)（上記の原問題的な関心とも重なる）人間の「個体性・共同性・公共性」をそもそもどうとらえるかという主題と、またそれらが現在の日本社会における様々な問題の核にあるという認識、

という、いくつかの関心・テーマや仕事の流れが合流するようなところに生まれたものである。

そうした意味では、自分の中での様々な関心が「コミュニティ」というテーマに収斂していったような面があり、そのこともあって、本書が扱う話題や領域はきわめて広範囲にわたることになった。それらのテーマについて、（〝文・理〟を通じた）学問分野や領域等の枠に全くとらわれず、また「原理」から「政策」までを含めて、自由に探求や考察を展開できたことは、（再び自己満足とはいえ）私にとっては実に楽しい作業であり、こうした本を出すことができることをありがたく思っている次第である。

もう一点補足すると、大学のゼミなどを含めて、結局自分がやっていることは「人間についての探求」と「社会に関する構想」という二つに集約されると感じているが、コミュニティというテーマは、ある意味で他ならずこの両者を架橋する、結節点のような主題のひとつであると思われる。

＊

前著『グローバル定常型社会』のあとがきにも記したように、同書と本書はある意味で〝対〟の関係にあり、単純にいえば前著は主にグローバルの側から、本書は主にローカルの側から、同じテーマを扱っているともいえる。もし読者の中に両方を読んでくださった方がいるとしたら、前著では「ローカルな多様性」の重視という方向にアクセントがあり、逆に本書の場合は「普遍的な原理」という（逆の）方向にアクセントがあると感じられると思う。この、ある意味での〝矛盾〟は私自身も自覚しているが、その理由は、ひとつには本書でも論じたように（ローカルとグローバルあるいはコミュニティの〝内と外〟に向かう）二つのベクトルは対立しつつも相互に補完的であるということがあり、加えて、グローバル・レベルの議論を行う際には（単純なグローバリゼーションにブレーキをかけるためにも）できる限り地球上の各地域の地理的・文化的多様性に目を向けそれを尊重すべきであり、逆にローカルないしナショナル・レベルの議論を行う際には（集団やコミュニティが「閉じた」ものになるのを避ける意味でも）普遍性へのベクトルを強調したほうがよい、という認識が働いているからである。

いずれにしても、前著『グローバル定常型社会』と本書はある種のセットをなしており、私自身の中では、二〇〇一年に『定常型社会』と『死生観を問いなおす』という二冊の本を公にした時と同じような、割合大きな節目になっていると感じている。したがって今後しばらくは、比較的個別的なテーマの研究や活動（中国・アジア関係や、地域関係、「環境と医療」、都市政策、創造性、科学論等に関する話題を含む）を進めていきたいと考えている次第である。

＊

本書の内容は基本的に書き下ろしであるが、科研費に基づく調査研究「福祉・環境・スピリチュアリティを包含したケアとコミュニティ空間の構築に関する研究」及び全労済委託研究『土地・資産をめぐる格差と社会保障及び関連政策（都市・住宅・コミュニティ政策）の展望』の成果の一部を活用していることを記しておきたい。

本書がなるにあたっては、いつもながら多くの方々からいただいた示唆や直接・間接の支援によるところが実に大きい。この場を借りて、各種研究会で御一緒させていただいた方々、ゼミ等の学生、大学の同僚の先生方、福祉環境交流センターの関係者の方々、その他様々なネットワークの関係者の皆様等々に御礼申し上げたい。

最後となってしまったが、本書の企画段階から多くの励ましをいただき、また適切なコメントをして下さったちくま新書編集部の増田健史氏に感謝申し上げる次第である。

二〇〇九年　新緑の八ヶ岳山麓にて

広井良典

ちくま新書
800

コミュニティを問《と》いなおす
——つながり・都市《とし》・日本《にほん》社会《しゃかい》の未来《みらい》

二〇〇九年八月一〇日 第一刷発行
二〇二五年四月二五日 第一八刷発行

著者 広井良典（ひろい・よしのり）

発行者 増田健史

発行所 株式会社 筑摩書房
東京都台東区蔵前二-五-三 郵便番号一一一-八七五五
電話番号〇三-五六八七-二六〇一（代表）

装幀者 間村俊一

印刷・製本 三松堂印刷 株式会社

ISBN978-4-480-06501-8 C0236

ちくま新書

001 貨幣とは何だろうか　今村仁司
人間の根源的なあり方の条件から光をあてて考察する貨幣の社会哲学。世界の名作を「貨幣小説」と読むなど貨幣への新たな視線を獲得するための冒険的論考。

012 生命観を問いなおす――エコロジーから脳死まで　森岡正博
エコロジー運動や脳死論を支える考え方に落とし穴はないだろうか？　欲望の充足を追求しつづける現代のシステムに鋭いメスを入れ、私たちの生命観を問いなおす。

116 日本人は「やさしい」のか――日本精神史入門　竹内整一
「やさしい」とはどういうことなのか？　手垢のついた「やさし」を万葉集の時代から現代に至るまで再度検証しなおし、思想的に蘇らせようと試みる渾身の一冊。

132 ケアを問いなおす――〈深層の時間〉と高齢化社会　広井良典
高齢化社会において、老いの時間を積極的に意味づけてゆくケアの視点とは？　医療経済学、医療保険制度、政策論、科学哲学の観点からケアのあり方を問いなおす。

166 戦後の思想空間　大澤真幸
いま戦後思想を問うことの意味はどこにあるのか。戦前の「近代の超克」論に論及し、現代が自由な社会であることの条件を考える気鋭の社会学者による白熱の講義。

261 カルチュラル・スタディーズ入門　上野俊哉　毛利嘉孝
サブカルチャー、メディア、ジェンダー、エスニシティ、ポストコロニアリズムなどの研究を通してカルチュラル・スタディーズが目指すものは何か。実践的入門書。

283 世界を肯定する哲学　保坂和志
思考することの限界を実感することで、逆説的に〈世界〉があることのリアリティが生まれる。特異な作風の小説家によって問いつづけられた、「存在とは何か」。

ちくま新書

556
「資本」論
——取引する身体／取引される身体
稲葉振一郎
資本主義は不平等や疎外をも生む。だが所有も市場も捨て去ってはならない——。社会思想の重要概念を深く考察し、「セーフティーネット論」を鍛え直す卓抜な論考。

569
無思想の発見
養老孟司
日本人はなぜ無思想なのか。それはつまり、「ゼロ」のようなものではないか。「無思想の思想」を手がかりに、日本が抱える諸問題を論じ、閉塞した現代に風穴を開ける。

602
日本の個人主義
小田中直樹
日本人は自律していないという評価は本当か。そもそも自律した個人とは近代の幻想にすぎないのか。戦後啓蒙の苦闘を糸口に個人主義のアクチュアルな意義を問う。

613
思想としての全共闘世代
小阪修平
あの興奮は一体何だったのか？　全共闘世代が定年を迎える。戦後最大の勢力を誇り、時代を常にリードしてきたこの世代の思想的・精神的な、文字どおりの総括。

623
１９６８年
絓《すが》秀実
フェミニズム、核家族化、自分さがし、地方の喪失などに刻印された現代社会は「１９６８年」によって生まれた。戦後日本の分岐点となった激しい一年の正体に迫る。

680
自由とは何か
——監視社会と「個人」の消滅
大屋雄裕
快適で安心な監視社会で「自由」に行動しても、それはあらかじめ制約された「自由」でしかないかもしれない。「自由」という、古典的かつ重要な概念を問い直す。

689
自由に生きるとはどういうことか
——戦後日本社会論
橋本努
戦後日本は自由を手に入れたが、現実には閉塞感が蔓延するばかりだ。この不自由社会を人はどう生き抜くべきか？　私たちの時代経験を素材に描く清新な「自由論」。

ちくま新書

329 教育改革の幻想 苅谷剛彦
新学習指導要領がめざす「ゆとり」や「子ども中心主義」は本当に子どもたちのためになるものなのか？　教育と日本社会のゆくえを見据えて緊急提言する。

359 学力低下論争 市川伸一
子どもの学力が低下している⁉　この認識をめぐり激化した巨大論争を明快にときほぐし、あるべき改革への第一歩を提示する。「ゆとり」より「みのり」ある教育を！

543 義務教育を問いなおす 藤田英典
義務教育の改革が急ピッチで進められている。だが、その方途は正しいのか。義務教育制度の意義と問題点を見つめなおし、改革の道筋を照らす教育社会学の成果。

679 大学の教育力 ——何を教え、学ぶか 金子元久
日本の大学が直面する課題を、歴史的かつグローバルな文脈のなかで捉えなおし、高等教育が確実な「教育力」をもつための方途を考える。大学関係者必読の一冊。

697 子どもをナメるな ——賢い消費者をつくる教育 中島隆信
重要なのはモラルよりも損得感覚。正しい消費者を作ることが義務教育の目的だ。教育問題の本質を鮮やかに示し、理念から各教科の具体的なあり方までを論じる。

742 公立学校の底力 志水宏吉
公立学校のよさとは何か。元気のある学校はどんな取り組みをしているのか。12の学校を取り上げた本書は、公立学校を支える人々へ送る熱きエールである。

758 進学格差 ——深刻化する教育費負担 小林雅之
統計調査から明らかになった進学における格差。なぜ今まで社会問題とならなかったのか。諸外国の奨学金のあり方などを比較しながら、日本の教育費負担を問う。

ちくま新書

311 国家学のすすめ　坂本多加雄
国家は本当に時代遅れになったのか。日常の生活感覚から国家の意義を問い直し、ユーラシア東辺部という歴史的・地理的環境に即した「この国のかたち」を展望する。

465 憲法と平和を問いなおす　長谷部恭男
情緒論に陥りがちな改憲論議と冷静に向きあうには、そもそも何のための憲法かを問う視点が欠かせない。この国のかたちを決する大問題を考え抜く手がかりを示す。

594 改憲問題　愛敬浩二
戦後憲法はどう機能してきたか。改正でどんな効果が期待できるのか。改憲論議にはこうした実質を問う視角が欠けている。改憲派の思惑と帰結をクールに斬る一冊！

625 自治体をどう変えるか　佐々木信夫
行政活動の三分の二以上を担う地方を変えることは、この国のかたちを変えることにほかならない。「官」と「民」の関係を問い直し、新たな〈公〉のビジョンを描く。

722 変貌する民主主義　森政稔
民主主義の理想が陳腐なお題目へと堕したのはなぜか。その背景にある現代の思想的変動を解明し、複雑な共存のルールへと変貌する民主主義のリアルな動態を示す。

773 社会をつくる自由
――反コミュニティのデモクラシー　竹井隆人
現代において手応えのある民主主義はまだ可能なのだろうか。社会を自らがつくるという自由の意味を見直し、責任ある政治を取り戻すための提言を行う。

775 雇用はなぜ壊れたのか
――会社の論理 vs. 労働者の論理　大内伸哉
社会を安定させるためには、「労働」はどうあるべきなのか？　セクハラ、残業、労働組合、派遣労働、正社員解雇など、雇用社会の根本に関わる11のテーマについて考える。

ちくま新書

317 死生観を問いなおす　広井良典

社会の高齢化にともなって、死がますます身近な問題になってきた。宇宙や生命全体の流れの中で、個々の生や死がどんな位置にあり、どんな意味をもつのか考える。

429 若者はなぜ「決められない」か　長山靖生

なぜ若者はフリーターの道を選ぶのか？　自らも「オタク」として社会参加に戸惑いを感じていた著者が、仕事観を切り口に、「決められない」若者たちの気分を探る。

495 パラサイト社会のゆくえ――データで読み解く日本の家族　山田昌弘

気がつけば、リッチなパラサイト・シングルから貧乏パラサイトへ。90年代後半の日本社会の地殻変動を手掛かりに、気鋭の社会学者が若者・家族の現在を読み解く。

511 子どもが減って何が悪いか！　赤川学

少子化をめぐるトンデモ言説を、データを用いて徹底論破！　社会学の知見から、少子化が避けられないことを示し、これを前提とする自由で公平な社会を構想する。

527 社会学を学ぶ　内田隆三

社会学を学ぶ理由は何か？　著者自身の体験から、パーソンズの行為理論、フーコーの言説分析、ルーマンらのシステム論などを通して、学問の本質に迫る入門書。

574 「大人」がいない…　清水義範

「親の顔が見たい」という言葉があるが、昨今のこの国は「大人の顔が見たい」状況にある。そもそも大人とは？　忍耐力、決断力、礼儀作法……。平成版「おとな入門」！

605 心脳コントロール社会　小森陽一

人を巧みに誘導するマインド・マネジメント。この手法は広告だけでなく、政治の世界でも使われるようになった。その仕組みを解明し、騙されないための手立てを提示。

ちくま新書

512 日本経済を学ぶ　岩田規久男
この先の日本経済をどう見ればよいのか？　戦後高度成長期から平成の「失われた一〇年」までを学びなおし、さまざまな課題をきちんと捉える、最新で最良の入門書。

582 ウェブ進化論 ——本当の大変化はこれから始まる　梅田望夫
グーグルが象徴する技術革新とブログ人口の急増により、知の再編と経済の劇的な転換が始まった。知らないではすまされない、コストゼロが生む脅威の世界の全体像。

610 これも経済学だ！　中島隆信
各種の伝統文化、宗教活動、さらには障害者などの「弱者」などについて「うまいしくみ」を作るには、「経済学」を使うのが一番だ！　社会を見る目が一変する本。

617 下流喰い ——消費者金融の実態　須田慎一郎
格差社会の暗部で弱者を貪り肥大化した消費者金融。その甘い蜜を求め大手銀行とヤミ金が争奪戦を演じる……。現代社会の地殻変動を活写した衝撃のノンフィクション。

641 この国の未来へ ——持続可能で「豊か」な社会　佐和隆光
格差の拡大、リスクの増大、環境問題の深刻化——。現代の「ひずみ」を超えて、持続可能で「豊か」な社会を実現するには何が必要か。その処方箋を提示する。

643 職場はなぜ壊れるのか ——産業医が見た人間関係の病理　荒井千暁
いま職場では、心の病に悩む人が増えている。重いノルマ、理不尽な評価などにより、うつになり、仕事は混乱する。原因を探り、職場を立て直すための処方を考える。

657 グローバル経済を学ぶ　野口旭
敵対的ＴＯＢ、ハゲタカファンド、ＢＲＩＣｓ、世界同時株安……。ますますグローバル化する市場経済の中で、正しい経済学の見方を身につけるための必読の入門書。

ちくま新書

724 金融 vs. 国家　倉都康行
国家はどのように金融に関わるべきなのだろうか。歴史的な視点から国家とマネーの連立方程式を読み解き、日本の金融ビジネスが進むべき道を提示した瞠目の論考。

729 閉塞経済 ―金融資本主義のゆくえ　金子勝
サブプライムローン問題はなぜ起こったのか。格差社会がなぜもたらされたのか。現実経済を説明できなくなった主流経済学の限界を指摘し、新しい経済学を提唱する。

735 BRICsの底力　小林英夫
存在感を増すブラジル（B）、ロシア（R）、インド（I）、中国（C）の4カ国。豊富なデータを交えながら躍進の秘密を分析し、次代の展望を明確に記す。

754 日本の賃金 ―年功序列賃金と成果主義賃金のゆくえ　竹内裕
成果主義の導入に失敗したが旧来の年功制にも戻れず右往左往する日本企業。この混迷を打開し、高付加価値経営の実現に資する日本型の能力・成果主義を提言する。

780 資本主義の暴走をいかに抑えるか　柴田徳太郎
資本主義とは、不安定性を抱えもったものだ。これに対処すべく歴史的に様々な制度が構築されてきたが、現在、世界を覆う経済危機にはどんな制度で臨めばよいのか。

785 経済学の名著30　松原隆一郎
スミス、マルクスから、ケインズ、ハイエクを経てセンまで。各時代の危機に対峙することで生まれた名著には混沌とする経済の今を捉えるためのヒントが満ちている！

786 金融危機にどう立ち向かうか ―「失われた15年」の教訓　田中隆之
「失われた15年」において、日本では量的緩和など多様な金融財政政策が打ち出された。これらの政策は、どのような狙いと効果をもったのか。平成不況を総括する。